Strade blu

Ferzan Ozpetek

COME UN RESPIRO

MONDADORI

Dello stesso autore
in edizione Mondadori
Rosso Istanbul
Sei la mia vita

A librimondadori.it

Come un respiro
di Ferzan Ozpetek
Collezione Strade blu

ISBN 978-88-04-71985-4

© 2020 Mondadori Libri S.p.A., Milano
I edizione marzo 2020

Anno 2020 - Ristampa   7

Come un respiro

A Valter
Ad Asaf

Ti amo e non sai
quanto mi spezza il cuore
il fatto che sia tutto qui.

POETA ANONIMO TURCO

Gli amori impossibili non finiscono mai.

MINE VAGANTI

Kaş, 20 giugno 2019

Cara Adele,
   ti scrivo dalla terrazza di un caffè che si affaccia sul porto, a Kaş. Mi fermerò ancora una settimana. È passato tanto tempo dalla mia ultima lettera, quando ti raccontavo delle mie molte avventure e di quanto mi divertissi nella nuova vita che mi ero scelta lontano da casa. Nel frattempo, altre vicende sono accadute, e alcune hanno lasciato il segno. Ho perso per strada un po' del mio entusiasmo, ma dicono che sia fisiologico: sono una «matura» signora, ormai. E lo sarai anche tu, sebbene faccia fatica a immaginarmelo.
   Quest'ultimo anno, poi, mi ha molto provato, anche fisicamente. Quasi stento a riconoscermi. Vivere mi sta consumando. Mi guardo allo specchio e mi vedo sfigurata. Ho conosciuto molte gioie, ma anche tanti dolori, e l'ultimo è ogni volta il peggiore. Un mese fa è mancato Dario, amico adorato. Non viveva più in Turchia, ma eravamo rimasti in contatto e ci telefonavamo quasi ogni settimana. Avevamo deciso di incontrarci proprio qui, a Kaş, in questi giorni di inizio estate. Ma la morte aveva fretta e se l'è portato via senza lasciarci il tempo di un commiato. Lo sto piangendo come forse non ho mai fatto per nessun altro, nemmeno per amore. Ripenso al suo ottimismo, alla sua irresistibile ironia, all'onestà con cui sapeva parlarmi dritto al cuore.

5

Oggi è una splendida giornata di sole, eppure me ne sto qui seduta all'ombra, in compagnia dei fantasmi del passato, mentre un'angoscia che non so descrivere mi toglie il poco fiato che mi resta. Se la vita fosse più giusta, adesso Dario sarebbe seduto accanto a me, sorseggiando un caffè turco, la sigaretta accesa tra le dita. Invece, sono sola al nostro appuntamento. Lo so, è stato assurdo venire ugualmente qui, ma ho pensato che in fondo glielo dovevo. Avevamo parlato così tanto di questo viaggio: annullarlo sarebbe stato un tradimento. Adesso, però, non so più quanto sia stato saggio seguire il mio cuore. Fare i conti con la sua assenza è un dolore intollerabile. Perfino il mare, così azzurro e luminoso, mi ferisce. E mi ripeto quella poesia di Nazim Hikmet: «I giorni sono sempre più brevi, le piogge cominceranno. La mia porta, spalancata, ti ha atteso. Perché hai tardato tanto?».

Questi versi non fanno altro che aumentare la mia tristezza. Ed eccomi qui, fragile e inconsolabile.

Il dolore riapre antiche ferite e mi costringe a ripensare a tutto ciò che ho perso. A ripensare a te. Così, dopo un lungo silenzio, mi rifaccio viva.

Dove eravamo rimaste? Cosa siamo diventate?

Sono passati cinquant'anni da quando le nostre strade si sono separate, e certo quel giorno non immaginavamo che sarebbe stato l'ultimo per noi. Che non ci saremmo mai più viste. Puoi credermi oppure no, ma lasciare l'Italia allora per me non fu affatto una rinuncia. Fu una scelta di vita che mi ha permesso di rinascere. Spero che per te sia stato altrettanto essenziale restare. Grazie a quella decisione ho di nuovo amato, tradito, riso molto, anche sofferto. E tu? Come hai vissuto, tu, in questi anni? Non c'è giorno in cui non me lo sia chiesto.

Adesso che non ho più alcun motivo per tenermi lontana da dove tutto è cominciato, mi piacerebbe rivederti. Non ho molto tempo. Le mie condizioni di salute al momento sono stazionarie, ma so che presto peggioreranno, perciò ho deciso di rimettermi in viaggio, prima che sia troppo tardi. Fra pochi giorni arriverò a Roma. Sarà come tornare indietro nel tempo, e la cosa mi riempie di felicità e paura insieme. Ho imparato a mie spese a non farmi illusioni, ma se ti dicessi di non avere il cuore pieno di speranza sarei una bugiarda.

Arriverò a Fiumicino a fine mese e il mio desiderio più grande è incontrarti un'ultima volta. Non ho altro modo di mettermi in contatto con te: mi affido completamente a questa lettera. Non mi aspetto che tu mi risponda, ma mi auguro che questa volta almeno la leggerai.

Il 28 busserò alla tua porta. Potremo parlare, ma non è indispensabile. Anche solo un abbraccio potrebbe bastarci, se il tempo, come spero, avrà sanato ogni ferita.

Tua Elsa

L'arrosto è quasi pronto. L'aroma è delizioso. Anche le verdure gratinate hanno un profumo invitante. Il grande orologio appeso accanto al frigorifero segna le undici e mezzo. Tra un'ora arriveranno gli ospiti, se così si possono chiamare gli amici di una vita: Giulio ed Elena, e Annamaria e Leonardo, che presto avranno un bambino. Mentre si gira verso il frigorifero, Sergio guarda di sfuggita la propria immagine riflessa nella finestra della cucina e per un attimo se ne compiace. È un bell'uomo, e sa di esserlo. Moro, capelli ricci e occhi castani, la fronte spaziosa, le labbra sensuali, a trentaquattro anni ha un fisico asciutto e muscoloso, senza però gli eccessi di chi è schiavo della palestra.

Alle sue spalle Giovanna si muove efficiente intorno al grande tavolo della cucina. Sono sposati da due anni, ma stanno insieme da dodici, e Sergio la conosce talmente bene che può indovinare cosa stia facendo anche a occhi chiusi. Ma sarà poi così? Bastano dodici anni per conoscersi davvero? Si volta. Giovanna, in tuta, sta apparecchiando la tavola per sei, con la concentrazione di un architetto che dispone le fondamenta di un palazzo, gli occhi azzurri assorti e pensosi. I corti capelli biondi un po' arruffati le danno ancora l'aria della ragazzina che aveva abbordato nel bar dell'università, eppure hanno più o meno la stessa età. Come i loro amici, appartengono alla generazione che ha da poco superato i trenta. Sergio sorride tra sé: sa leggere sua moglie come un libro aperto. Solida, precisa, efficiente e affidabile. Se c'è qualcosa di cui non è dotata è l'imprevedibilità. E lui la ama per questo.

Solida come quel loro appartamento al Testaccio, all'interno di un fascinoso palazzo dei primi del Novecento, che hanno comprato nemmeno due anni fa, ma è come se ci stessero da sempre, perché rispecchia esattamente i loro gusti. Due grandi ambienti luminosi, la zona notte con la camera da letto, la cabina armadio e il bagno, e quella giorno con il salotto e attiguo studio e, soprattutto, un'accogliente cucina dove ricevere gli amici a pranzo la domenica, una consuetudine inaugurata anni prima e che nel tempo è diventata un rito irrinunciabile.

Sergio ama cucinare per gli amici. Durante la settimana è sempre di corsa, fra il tribunale e il suo studio di avvocato. Si occupa di diritto societario, ha a che fare con clienti danarosi, cause milionarie. Certo guadagna bene, ma il lavoro è stressante. Così, far da mangiare è il suo modo di rilassarsi. Da buongustaio qual è, nella vasta cucina superaccessoriata, piena di barattoli, spezie e piante aromatiche in vaso, si diverte a sperimentare nuove ricette. È lì, in cucina, che lui e Giovanna accolgono gli ospiti per il pranzo, seduti intorno al grande tavolo di legno scurito dall'uso, sistemato proprio al centro. Perché è la stanza che entrambi amano di più. Dove ogni arredo, mobile e suppellettile è stato scelto con una cura speciale.

Giovanna non ama le tovaglie, preferisce apparecchiare direttamente sul tavolo. Dopo aver distribuito i piatti e le posate, porta in tavola i bicchieri. Li dispone, fa un passo indietro e osserva l'effetto finale con occhio critico, come un artista che valuti il proprio dipinto al termine del lavoro. Sergio la osserva con la coda dell'occhio. È una perfezionista in ogni cosa che fa. Ora Giovanna sta prendendo dal frigo dei fiori di zucca e li mescola a un mazzo di peperoncini, poi aggiunge due melanzane baby. Recupera da un armadio una ciotola di ceramica bianca e vi dispone soddisfatta la composizione: sarà un centrotavola perfetto.

«Accidenti, è quasi mezzogiorno e non mi sono fatta ancora la doccia!» esclama guardando l'orologio appeso alla parete della cucina.

«Tranquilla, vai: qui finisco io. Tanto con i fornelli ho terminato» la rassicura Sergio spegnendo il forno.

«Il pane è nel sacchetto bianco nella dispensa...»

«Vai vai, che ti trovano ancora in tuta!»

Messa di fronte a questa spaventosa eventualità – non sia mai che gli ospiti la colgano in disordine – Giovanna si dirige velocemente verso il bagno. Intanto Sergio apre la dispensa e trova subito quel che cerca: un grosso filone di pane casereccio. Ne affetterà solo la metà: il resto lo lascerà sul tagliere in modo da servirsene all'occorrenza.

Il rumore appena udibile di uno scroscio d'acqua lo avvisa che sua moglie è sotto la doccia. È in quel preciso istante che qualcuno suona il campanello della porta di casa, che introduce direttamente nella cucina. Devono essere Leonardo e Annamaria, quei due hanno il vizio di arrivare sempre troppo presto, pensa Sergio. Probabilmente hanno trovato il portone aperto.

«Siete sempre in anticipo, caz...» ma si interrompe imbarazzato.

Ha aperto la porta con impeto, senza guardare chi ha suonato, sicuro di trovarsi davanti la coppia di amici, e invece sul pianerottolo c'è una signora un po' appesantita dall'età, deve aver passato la settantina. I capelli, tinti di biondo, le sfiorano le spalle lasciando intravedere un paio di preziosi orecchini antichi. Indossa un abito di lino color blu petrolio di ottima fattura, che le fascia la figura morbida senza evidenziarla troppo. Al collo porta una collana di ambra e tra le mani stringe un'elegante borsa ricamata. Il volto è solcato da una fitta rete di rughe, ma Sergio non ci fa quasi caso perché a catturarlo sono gli occhi, verdi e magnetici, sottolineati da una linea un po' incerta di kajal.

Sergio la osserva, fra lo stupito e l'affascinato. Chi può essere quella donna? Di sicuro lui non l'ha mai vista. Anche lei lo guarda sorpresa. Anzi, più che sorpresa, scossa, proprio come se si fosse aspettata di trovarsi davanti un'altra persona. Poi getta uno sguardo obliquo verso la targhetta di fianco alla porta, quasi volesse controllare, ma non c'è scritto nulla. Sergio e Giovanna non hanno ancora trovato il tempo – e forse la voglia – di aggiungere i loro nomi, un atto di trascuratezza che ora all'uomo pare, all'improvviso, riprovevole.

Prima di poterle domandare cosa desidera, la sconosciuta, che nel frattempo sembra essersi ripresa dallo stupore, gli si rivolge sorridendogli in modo disarmante mentre lo fissa dritto negli occhi con aria innocente: «Mi scusi se la disturbo. Accidenti, presentarsi in questo modo, di domenica mattina, non si fa... No, non si fa!».

Sergio è così sorpreso che non gli viene in mente nulla di sensato da dire, ma non ce n'è bisogno perché lei a quel punto si presenta: «Mi chiamo Elsa Corti, molti anni fa ho abitato in questo appartamento».

Gli tende la mano e gli afferra la sua, come se non volesse più lasciarla andare. Al mignolo porta un anello d'oro, con un sigillo. E intanto, cerca di sbirciare oltre le spalle del padrone di casa, che non trova niente di meglio da fare che presentarsi a sua volta, declinando nome e cognome, e annuire in modo comprensivo, come se quella donna gli avesse appena confessato di avere commesso un terribile sbaglio.

«Lei crede nel destino?» gli chiede con aria speranzosa.

Sentendosi rivolgere una domanda così diretta, Sergio sobbalza. Da giovane, deve essere stata bellissima, si sorprende a pensare.

«Quando ho visto il portone aperto, è stato come se la

casa mi chiamasse» continua Elsa. «Sono stata lontana da Roma così tanto tempo... Erano cinquant'anni che non passavo per questa strada. Stamattina sono uscita dall'albergo molto presto per fare due passi. Pensavo di andare verso il Colosseo, ma le mie gambe mi hanno guidata fin qui, dove tutto è cominciato. Mi guardavo intorno, ogni cosa sembrava diversa eppure stranamente uguale, e poi mi sono trovata davanti al portone ed è stato come se non me ne fossi mai andata. Così mi è venuta una nostalgia fortissima di rivedere la casa. Ma io la sto disturbando, mi scusi! Oggi non so proprio dove ho la testa.»

«Ma no, si figuri, capisco...» balbetta Sergio a disagio. «Capisco...» Non sa cosa dire di fronte a quell'inaspettato fiume di parole.

Elsa torna a scusarsi del disturbo, ma intanto continua a gettare sguardi avidi verso l'appartamento, come se custodisse qualcosa di estremamente vitale per lei. Poi si blocca e fa per andarsene.

«Allora, grazie e arrivederci. Magari, se non le dispiace, tornerò un'altra volta...» e indietreggia quasi a malincuore.

In una situazione diversa, Sergio coglierebbe al volo l'occasione per disfarsi di questa visita inopportuna che lo distoglie dalla sua routine domenicale e dai preparativi per il pranzo. Anche se non è determinato come Giovanna, che riesce a liberarsi di qualsiasi scocciatore in pochi istanti semplicemente cambiando tono di voce, un tono che non ammette repliche, non ama farsi troppo coinvolgere dai fatti altrui. Quella donna, però, l'ha turbato. Una strana curiosità gli sta intimando di trattenerla.

«Se vuole dare un'occhiata all'appartamento... però non ho molto tempo da dedicarle: sto aspettando degli ospiti a pranzo.»

«Lei è davvero molto gentile!» La sconosciuta si è di nuovo illuminata in un sorriso radioso. «Non si preoccupi, ci metto solo un minuto, il tempo di guardarmi in giro.»

Poi entra nella cucina e si ferma in mezzo alla stanza.

«Non sa quante emozioni ho vissuto qui dentro, ma ora sembra un'altra casa. Qui c'era una parete. E lì, la dispensa. I fornelli, certo... erano quelli di una volta» mormora mentre guarda come ipnotizzata un punto davanti a sé. Oltre la finestra.

In quel momento li raggiunge Giovanna. È vestita, ma i capelli sono ancora umidi. Ha sentito una voce che non le è familiare: cosa sta accadendo? Guarda l'estranea sorpresa, senza riuscire a trattenere un'espressione di contrarietà, mentre Sergio cerca di prevenire ogni sua domanda: «La signora è... Elsa Corti».

L'intrusa sorride a Giovanna e i suoi orecchini per un istante emettono un bagliore.

«Suo marito è stato così gentile da farmi entrare. Desidero solo vedere la casa dove un tempo ho abitato, e toglierò il disturbo» si giustifica gettando un'occhiata complice a Sergio. Sembra una scolaretta davanti alla maestra che l'ha sorpresa a commettere un qualche guaio.

Lo sguardo di Giovanna resta perplesso: chi è quella donna?

«Le ho detto che abbiamo ospiti a pranzo» si affretta ad aggiungere Sergio.

Ma Giovanna lo ascolta a malapena, la sua attenzione adesso è tutta concentrata sulla sconosciuta: nonostante l'età, trasmette una enorme energia. E poi, è affascinata da quell'abbigliamento così audace dal punto di vista cromatico, che mescola tonalità fredde e calde, il blu petrolio del vestito e l'ambra della collana. Lei, fedele fino alla noia al nero e al beige, per un istante si sente infinitamente più vecchia. Sì, Elsa ha una grazia speciale. Prima di rendersene conto, Giovanna ha abbandonato le sue riserve. Ricambia il sorriso. All'improvviso sente per quell'estranea che dice di aver vissuto nella sua casa un'empatia particolare.

«Quindi, un tempo abitava qui?» le chiede, scambiando

un cenno d'intesa con il marito: hanno ancora qualche decina di minuti per ascoltarla. A questo punto, infatti, più che incuriositi, sono entrambi affascinati da quell'intrusa. Elsa, però, si limita a un vago cenno di assenso. Si avvicina alla finestra, lo sguardo fisso, come se stesse rivivendo un ricordo.

I due, sempre più intrigati, non si arrendono e la incalzano.

«Da sola?» chiede Sergio.

«Ha vissuto qui quando era bambina?» gli fa eco Giovanna.

Ma la donna sembra lontana con la mente. Si limita a rispondere a monosillabi e a borbottare tra sé parole incomprensibili: «No. Perché?... Forse...».

«Era ospite della signora che abitava qui prima di noi? O una parente?» mormora Sergio rivolgendosi quasi più a Giovanna che a Elsa, la quale però reagisce con sorprendente rapidità, risvegliandosi dal suo torpore: «Dov'è lei?» chiede.

«Lei chi?» ribatte Sergio.

«Intende la precedente proprietaria della casa?» suggerisce Giovanna.

«Sì, lei. Mia sorella.»

«Non abita più in questa casa da un paio di anni» interviene Sergio perplesso.

Anche Giovanna è turbata. Adesso prova un'inspiegabile tenerezza per quella donna.

«Non lo sapeva? Non siete rimaste in contatto?»

«No, purtroppo no. Ma è una storia lunga...»

Elsa ora li guarda contrita: sembra quasi essersi appena resa conto della realtà.

Giovanna ricorda bene la signora che ha venduto loro l'appartamento. Si chiama Adele Conforti, ha abitato lì una vita intera con la propria famiglia, poi la morte del marito l'ha spinta a liberarsi dell'appartamento perché troppo grande per una persona sola. Inoltre, si era giustificata, voleva avvicinarsi all'unico figlio. È molto strano: Elsa non assomiglia affatto a Adele Conforti.

«Pensavo abitasse ancora qui... speravo di trovarla» aggiunge lei con un filo di voce.

«Dunque, la sta cercando? Non voleva solo vedere la casa!»

«Sì, è così.»

«E non sapeva che aveva venduto l'appartamento e se n'era andata via...»

«No, non lo sapevo.»

Abbandonata a poco a poco la sua reticenza, Elsa rivela di non avere notizie della sorella da cinquant'anni. Intanto, senza preoccuparsi di chiedere il permesso, si muove per le stanze stranita ma, allo stesso tempo, con una sorta di sicurezza. Quasi che in quella casa ci vivesse ininterrottamente da sempre. Tallonata da Giovanna e Sergio un po' disorientati, s'intrufola nella loro stanza da letto, si affaccia in bagno, apre la porta dello studio. E, intanto, non fa che ripetere quanto le spiace del disturbo che sta recando.

«Ora vado via. Vi lascio in pace. Si è fatto tardi, devo proprio andare» ripete come un automa.

Tornati in cucina, mentre fissa ancora una volta la finestra, «Avete più visto mia sorella?» chiede.

«Non di recente: l'ultima volta che l'abbiamo incontrata è stato dal notaio per il rogito, però in seguito l'abbiamo contattata qualche volta per telefono. Era arrivata della posta indirizzata a lei, così gliel'ho tenuta da parte e poi l'ho avvertita di mandare qualcuno a ritirarla» dice Giovanna, che si fa vanto di essere una persona efficiente e precisa.

«Ma sapete dove vive?»

«In campagna, in un paesino fuori Roma. Comunque, come le dicevo, abbiamo il numero di telefono» ribadisce Giovanna.

Quella donna, che la vita ha allontanato dalla propria famiglia per così tanto tempo, muove in lei un sentimento che è insieme di simpatia e compassione. Non può fare a meno di tentare di mettersi nei suoi panni, sebbene non sia facile.

Deve essere straziante tornare a distanza di cinquant'anni – ben più di quanto lei abbia vissuto finora – nella propria casa e trovare tutto cambiato. Scoprire che è occupata da due estranei, che non c'è traccia dei propri cari. Chissà con quale ansia e aspettativa Elsa poco prima ha suonato il loro campanello. E quante volte avrà immaginato quel momento! Poi la porta si è aperta ed è apparso Sergio, uno sconosciuto. In quel momento, probabilmente, lei deve aver pensato che sua sorella fosse morta.

«Quindi potete darmi il suo numero?»

Elsa fa appena in tempo a formulare la domanda che suona il citofono.

Cara Adele,

non sai quante volte avrei voluto farti avere mie notizie, ma qualcosa mi ha sempre trattenuta. Il dolore, credo. Dolore. Una parola che dice tutto, ma non spiega nulla. Hai mai notato che contiene il termine «dolo»? C'è ambiguità nella sofferenza. E solo tu puoi sapere quanto me fin dove possa portare. Quando ami davvero, devi essere pronta a tutto. Al fulmine e alla tempesta. Alla pioggia e alla siccità. Non puoi sapere fin dove ti spingerà quel sentimento che ti consuma. Non riesci nemmeno a distinguere la felicità dalla disperazione, perché in amore spesso l'una è la ragione dell'altra.

Adesso, però, non voglio più pensare al passato. Per me, partire è stato come salire sulla montagna più alta: mi affaccio dalla cima e ogni cosa mi appare minuscola e insignificante, mentre l'orizzonte si apre ai miei piedi, colmo di possibilità. Dovresti provarci anche tu. Il dolore rimane, ma resta acquattato in fondo all'anima, e tu ti senti invadere da uno strano senso di sfida. È quello che provo in questi giorni. Ho perso l'innocenza ormai e combatto quotidianamente per diventare una creatura più coraggiosa, scaltra e all'occorrenza feroce. Pronta a godere il presente, a ricominciare una nuova esistenza parlando una lingua straniera, circondata da estranei.

Non è facile, ti confesso. Ogni tanto, la forza di volontà mi abbandona e allora la disperazione mi invade. Ripenso a quanto ho perduto – a quanto abbiamo *perduto – e mi lascio andare, letteralmente. Mi sdraio sul letto e vorrei solo morire. Ma poi mi faccio forza. E torno a sperare. Non in un futuro migliore, ma almeno differente. Ricaccio indietro le lacrime e mi costringo a sorridere. Funziona: sto scoprendo che il modo più efficace per restare a galla è obbligarmi alla spensieratezza. Dunque, preparati a una lettera piena di futilità, corteggiamenti, pettegolezzi.*

Un tempo c'era solo una persona capace di ascoltare le mie storie. Tu. Ti immagino bambina quando fantasticavamo per ore in giardino, ricordi? E adesso che avrei mille cose da raccontarti, non so da dove iniziare.

Per non perdermi via, partirò da dove mi trovo.

Sono a Istanbul da quasi due mesi ormai. Mentre ti scrivo sento i richiami dei gabbiani che volteggiano davanti alla mia finestra. Se mi sporgo, li vedo volare radi sulle acque scintillanti del Mar di Marmara, per poi alzarsi oltre i tetti di una metropoli infinita. Dalla strada salgono attutiti i rumori della vita che scorre, le grida dei venditori ambulanti e i clacson delle automobili in transito. È il tramonto: il cielo è come un manto di velluto dai colori cangianti.

Ci crederesti? Istanbul! Nemmeno nelle nostre fantasie più sfrenate di bambine avrei mai immaginato che la vita mi avrebbe portata in un luogo così lontano, infinitamente più vasto del piccolo centro dove siamo cresciute. Credevo di trovare una città esotica e respingente, ma ho dovuto ricredermi. Istanbul mi ha accolta generosa, e coccolata facendomi sentire a casa. L'anima sensuale di questa città magica e potente mi ha già sedotta.

Se mi volto indietro stento a riconoscermi in quella ragazzina sofferente che un mattino all'alba se n'è andata via da Viterbo senza salutare nessuno, pur di non dare spiegazioni. Non era la prima volta che me ne andavo di casa a quel modo, ma sapevo che sarebbe stato diverso. Questa volta sarebbe stato per sempre. Mi sono avviata a piedi verso la stazione e sono salita sul primo treno per il Nord. Arrivata a Milano, ho proseguito il viaggio per Venezia. Lì sono andata alla biglietteria e ho chiesto qual era il treno che andava più lontano. «Alle ventitré dal binario 9 parte l'Orient Express, la sua ultima destinazione è Istanbul, in Turchia. Le sembra abbastanza lontano?» mi ha chiesto il bigliettaio guardandomi con sospetto. Ai suoi occhi devo essere apparsa una fuggitiva. Una criminale intenzionata ad abbandonare in tutta fretta il Paese per sfuggire alla giustizia. Non si stava sbagliando di molto. L'ho fissato dritto negli occhi e ho acquistato un biglietto di sola andata.

Erano le sette di sera, mi aspettava dunque una lunga attesa. Sono andata al bar della stazione e mi sono seduta a un tavolino con vista sui binari. I treni arrivavano e partivano senza sosta. Frotte di viaggiatori si riversavano sulle banchine e altrettanti affrettavano il passo trascinando pesanti bagagli, già con il pensiero rivolto alle loro destinazioni. Il locale era affollato di avventori che consumavano un caffè al banco e scappavano via. A parte me, c'era solo un'altra persona seduta nel dehor con l'aria di non avere fretta, una signora molto elegante dagli occhi melanconici. Fumava una sigaretta senza tenerla direttamente tra le dita, ma sorreggendola con un insolito supporto, una sottile asta dorata munita di una sorta di pinzetta a una delle due estremità, mentre l'altra terminava ad anello, che lei indossava come un gioiello. Mi ha sorriso e mi ha chiesto l'ora. Era palese che fosse una scusa per attaccare discorso.

Poi mi ha domandato dove andavo. Quando le ho detto che avrei preso l'Orient Express e che ero diretta a Istanbul ha fatto uno strano sorriso. Era la sua città, mi ha rivelato. E ha aggiunto che aspettava un amico, ma era come se sapesse che non sarebbe mai arrivato.

«A volte, il destino si diverte a tenerci sulle spine, come un amante distratto. Ma l'attesa può essere perfino più dolce dell'incontro: basta imparare a nutrire le proprie speranze» ha osservato in modo enigmatico.

Siamo rimaste per qualche minuto in silenzio, bevendo ciascuna il suo caffè, poi, senza che io la incoraggiassi minimamente, mi ha raccontato la sua inverosimile storia. Da giovane aveva vissuto a corte nell'harem dell'ultimo sultano, fino a quando non era stato chiuso al crollo dell'impero ottomano. Per molte delle sue compagne la libertà era arrivata come la condanna a una vita di stenti. Era difficile da comprendere, ma chiuse nel loro piccolo mondo femminile, alla mercé dei desideri del loro signore, le cortigiane potevano godere di privilegi e piaceri sottili. Lei, invece, aveva approfittato della libertà, però le era stato tolto l'amore della sua vita. Allora era fuggita e aveva girato l'Europa in lungo e in largo, senza mai trovare pace. Altro non ha aggiunto. Ho immaginato che l'uomo che aspettava inutilmente fosse il suo amore perduto. Poi di punto in bianco mi ha chiesto da cosa fuggissi, e io mi sono sentita smascherata. Cosa sapeva di me quella donna? Possibile che fosse al corrente del nostro segreto? Stavo già cadendo in preda al panico, ma mi sono subito calmata. La sua era solo una battuta. Confesso che per un attimo sono stata tentata di svelarle ogni cosa. Tranquilla, ho resistito.

Era quasi ora di partire e mi sono alzata per andare a pagare il caffè. Quando sono tornata non c'era più. Ho provato a cercarla, ma di lei non c'era traccia: si era eclissata quasi per magia. Ho ripreso i miei bagagli e, infilandomi il cappotto, mi sono accorta di avere qualcosa in tasca. Al tatto pareva un oggetto metallico sottile e irregolare. L'ho estratto incuriosita e mi sono ritrovata fra le mani il suo strano anello reggi-sigarette.

Non so perché te ne parlo. Forse negli occhi di quella donna ho visto il mio stesso dolore. Il nostro dolore.

Tua Elsa

Da quanti anni conoscono Annamaria, Leonardo, Giulio ed Elena? Sergio non se lo ricorda nemmeno più. Giovanna, invece, di sicuro lo sa. Lei ama tenere sotto controllo tutto della sua vita. Possiede un diario, su cui scrive fin da quando era adolescente. È un gioco che fa con se stessa. Sergio è a conoscenza di questa sua abitudine, ma è un argomento di cui sua moglie non parla volentieri. In realtà, non è proprio un diario. Usa un quaderno dalla copertina di tela cerata rossa: quando arriva all'ultima pagina lo sostituisce con un altro identico. Sergio sa dove li tiene, quei quadernetti tutti uguali: nella cassapanca in sala. Più di una volta è stato tentato di darci un'occhiata, ma non l'ha fatto. Qualcosa l'ha sempre fermato. Il rispetto per l'intimità di Giovanna e forse il timore di scoprire un dettaglio che è meglio ignorare. Tutti hanno il diritto di custodire i propri segreti, perfino chi, come Giovanna, sembra non averne. Almeno, lui la pensa così.

«Ehi, Sergio, cos'hai? Hai visto un fantasma?» lo investe Leonardo, mentre varca la porta d'ingresso. Il gusto per le battute lo spinge spesso a commettere delle gaffe. Anche in questo caso, e infatti Elsa si sente chiamata in causa.

«In effetti, il fantasma sono io» dice facendosi avanti con la mano tesa e un'espressione maliziosa. «Piacere, Elsa Corti.»

Se Leonardo rimane un po' spiazzato, non lo dà a vedere. È un uomo spigliato, molto affascinante, il ciuffo nero perennemente spettinato, gli occhi verdi incorniciati da lunghe ciglia. Stringe la mano alla sconosciuta, elargendo uno dei suoi più seducenti sorrisi: «Piacere, Leonardo». E intanto, guarda interrogativo Sergio: chi è quella donna? Ma l'amico adesso è tutto intento a trafficare davanti al forno e non gli bada.

Giovanna è uscita sul pianerottolo per accogliere gli altri ospiti, Giulio ed Elena rimasti indietro con Annamaria. Salire cinque piani di scale a piedi al settimo mese di gravidanza non è cosa da poco. Certo che Leonardo dovrebbe essere più premuroso nei confronti di sua moglie, soprattutto ora che aspettano un bambino, si trova a riflettere Giovanna. Non è la prima volta che si sorprende a dubitare di lui come marito e, soprattutto, come futuro padre. Mettere al mondo un figlio è una prova del nove per qualsiasi coppia, ma per quei due potrebbe rivelarsi particolarmente difficile. Sente una punta di sofferenza. Del resto, le accade sempre, quando pensa alla gravidanza dell'amica. Anche se un figlio non è nei suoi piani, non può evitare di invidiarla.

«Eccoci qua, stanchi e affamati!» la saluta Elena, seguita da Annamaria, ansante e paonazza. Chiude il piccolo corteo Giulio, in mano una bottiglia di vino.

Solo dopo i baci di rito e i convenevoli d'uso, mentre Annamaria scosta una sedia per accomodarsi e Giovanna premurosa le versa un bicchiere d'acqua, gli ultimi arrivati si accorgono dell'insolita presenza. Elsa, seduta in un angolo appartato della cucina, li ha osservati entrare e ora li guarda con un'espressione indecifrabile.

«Elsa Corti...» Sergio fa di nuovo le presentazioni a vantaggio di tutti, sfoderando un tono un po' più formale. Intanto Giovanna, senza proferire parola, aggiunge un posto a tavola: ha come l'impressione che non si libereranno molto facilmente di quella donna, la qual cosa – deve ammettere – non le dispiace. E poi Elsa pare aver suscitato interesse anche tra i loro amici. Sarà un pranzo domenicale diverso dagli altri.

Sergio stappa la bottiglia di vino che ha portato Giulio e porge un calice all'ospite sconosciuta.

«No, grazie. Oggi è meglio che non beva.»

Annamaria fissa estasiata i suoi orecchini: «Sono stupendi» esclama. «Sembrano antichi: sono gioielli di famiglia? Da dove vengono?»

«Da molto lontano» risponde Elsa sorridendo.

«Prima ci ha detto di aver lasciato Roma cinquant'anni fa. Dove è stata tutto questo tempo? Forse nello stesso luogo da dove vengono i suoi gioielli?» si intromette Giovanna.

«Sei una ragazza arguta, cara. Dovresti fare l'investigatrice» ribatte la donna scherzosa.

E, posata in grembo la borsa, comincia a frugarvi dentro, in cerca di qualcosa. Dopo aver estratto vari oggetti, tra cui un portafogli ricamato, un ventaglio di pizzo nero, una penna stilografica, un tubetto di crema per le mani, un metro arrotolato, un sacchetto di caramelle e un fascio di lettere tenute insieme da un nastro di seta giallo, finalmente recupera una scatolina bianca con delle scritte rosa. Rimette tutta quella paccottiglia alla rinfusa nella borsa e, con l'aiuto di un sorso d'acqua, ingurgita una grossa pastiglia.

«A una certa età, si finisce per mandare giù più farmaci che cibo!» puntualizza, quasi si sentisse in dovere di giustificarsi.

«Non lo dica a me! Con questa storia della gravidanza il mio ginecologo mi ha riempita di integratori. Capsule di qui, fialette di là, come se fossi malata. Come se avere un figlio non fosse la cosa più naturale del mondo» si sfoga Annamaria, simpatizzando con lei.

Sergio sta mettendo in tavola l'antipasto: stuzzichini al formaggio, sottaceti e un tagliere di prosciutto crudo.

Per Annamaria, che non può mangiare i salumi per via del suo stato, ha preparato verdure in pinzimonio e pistacchi tostati.

«I pistacchi sono frutti deliziosi, non trovate? Quelli di Siirt, poi... La loro polpa è più saporita di qualsiasi altra» osserva Elsa ispirata, mentre apre i gusci con rapidi movimenti esperti.

«Siirt? Non ho mai sentito questo nome. È una località?» chiede Annamaria.

«Una località, sì.»

«E dove si trova?» s'intromette Giovanna.

Ma la donna pare non averla udita.

Giovanna è combattuta. Vorrebbe saperne di più su quell'ospite inattesa, ma insistere con le domande le sembra inappropriato: è evidente che Elsa si trova in difficoltà. Prima ha preso un farmaco, forse è malata. Forse non ha il pieno controllo della sua mente, non è del tutto lucida.

«Giovanna, ci pensi tu a portare in tavola dell'altro vino?» le chiede Sergio mentre controlla se l'acqua sta bollendo, distogliendola dalle sue elucubrazioni.

Giulio la raggiunge. Sono in un angolo un po' defilato della cucina dove pensano di non essere sentiti.

«Hai visto quelle lettere?» le sussurra.

«Quali lettere?»

«Quelle che ha nella borsa. Le ha tirate fuori prima, mentre cercava le sue pillole. Non le hai viste? Sono tenute insieme con un nastro...»

«Ah, quelle.» Giovanna, in realtà, non ci aveva fatto molto caso.

«Pur avendo l'aria di essere state spedite molti anni fa, le buste sembrano intonse, come se non fossero mai state aperte.»

Giulio, che insegna inglese al liceo ed è un appassionato di filatelia, ha cercato di sbirciare le buste per cogliere qualche indizio dal luogo di provenienza dei francobolli.

«L'unica cosa che sono riuscito a capire è che non sono state spedite dall'Italia. Chissà di chi sono...»

«Se vi state chiedendo di chi sono quelle lettere, ve lo dico io. Sono *mie*» interviene Elsa con tono perentorio. «*Solo e soltanto mie.*» Nonostante Giulio abbia parlato a bassa voce, ha sentito tutto.

«Forse gliele ha spedite un innamorato che ha respinto... Per questo non le ha aperte?» prova a sdrammatizzare Annamaria, che è un'inguaribile romantica.

«Ma no, quale innamorato! Le ho spedite io. Sono lettere mie. Sono le lettere che ho scritto a mia sorella. E le ho mandate proprio qui, a questo indirizzo. Ma lei non le ha mai lette. Le ha sempre rimandate indietro senza aprirle.»

E mentre ne parla, le tira fuori dalla borsa e le appoggia in un angolo del tavolo. Per qualche secondo nessuno sa cosa dire.

«Perché?» domanda Leonardo. «Perché non le ha mai aperte?»

«Questo dovreste chiederlo a lei.»

«Ne è sicura? Forse dovrebbe essere lei, invece, a chiederlo a sua sorella» si lascia sfuggire Elena.

«Da quanti anni non la vede?» vuole sapere Giulio.

Elsa non ha bisogno di pensarci. «Cinquant'anni e un giorno» risponde sicura, come se dall'ultima volta che ha incontrato Adele non avesse pensato ad altro che a tenere il conto del tempo che passa.

«Ma la conoscete anche voi?»

«Chi?» domanda Annamaria. Da quando è incinta spesso sembra vivere in un mondo tutto suo.

«Mia sorella! La conoscete anche voi? L'avete vista di recente?»

«Come le ho spiegato prima, siamo noi due, Sergio e io, ad averla conosciuta... Quando abbiamo rogitato l'appartamento, saranno ormai quasi due anni fa» ripete Giovanna scandendo bene le parole. Forse Elsa ha qualche problema di memoria... «Una signora molto gentile e riservata» puntualizza. «E dopo di allora, mi è capitato di telefonarle qualche volta, ricorda? Per avvertirla che era arrivata una vecchia bolletta...»

«Allora ha il suo telefono! Può chiamarla e dirle che sono qui, per favore? Le sarei davvero grata» chiede Elsa speranzosa. La voce tradisce anche un pizzico di impazienza.

«Certo, che abbiamo il suo numero di telefono! Ma davvero non è meglio se la chiama lei?» propone Sergio.

«No, meglio di no. A me non risponderebbe.»

«Se vede il suo numero non risponde?» domanda incuriosita Elena.

«Non ce l'ha mica il mio numero... Non ci sentiamo da anni! E poi, adesso non me la sento di parlarle. Non ancora... Però, ecco, se la chiamaste voi, mi fareste davvero un grandissimo regalo! Non potete immaginare quanto grande.»

Sergio e Giovanna si lanciano uno sguardo d'intesa: dopotutto, cosa potrebbe mai succedere, se fanno una telefonata? È evidente che quella donna sta soffrendo: accontentarla è un gesto d'umanità.

Intanto Elsa si alza, visibilmente agitata. Chiede dov'è il bagno e Giovanna, premurosa, l'accompagna. Già che c'è, andrà in camera da letto a cercare il numero della signora Conforti. Deve averlo segnato in una vecchia agenda che tiene nel comodino.

Quando rientra in cucina con l'agenda, al posto del consueto chiacchiericcio conviviale, trova uno strano silenzio. Stanno tutti osservando Elsa, che invece di riprendere posto a tavola, si è fermata di nuovo davanti alla finestra e fissa il vuoto. Alle sue spalle, anche Giovanna scruta il cortile, le finestre del palazzo di fronte, i tetti in lontananza, una magnolia solitaria che spunta da dietro il muro di un giardino e, in fondo, il cielo. Ma forse le sfugge qualcosa. Qualcosa che attrae la loro strana ospite come una calamita.

Sergio sta ultimando di cuocere il ragù e si appresta a buttare la pasta.

«Ancora pochi minuti ed è pronto!» annuncia.

Ma nessuno pare dargli retta: bisogna fare questa benedetta telefonata. Elsa è troppo in ansia, sarebbe crudele continuare a ignorare la sua richiesta.

Adele Conforti risponde al primo squillo, come se stesse aspettando quella chiamata. Giovanna prova a spiegarle la situazione con le dovute cautele: è preoccupata per come potrebbe reagire. Le racconta che si è presentata a casa loro una signora – «Dice di chiamarsi Elsa Corti» – che sostiene di essere sua sorella e chiede di lei. Dall'altra parte, silenzio. Forse è caduta la linea.

«Pronto? Mi sente?»

Un colpo di tosse simile a un rantolo indica che c'è qualcuno ancora all'ascolto.

«Non ci saremmo permessi di disturbarla... ma, ecco» Giovanna abbassa la voce «ci sembra molto agitata, a volte si astrae, risponde confusa... E poi, fissa di continuo una finestra, come se cercasse qualcosa là fuori. O qualcuno» aggiunge, senza nemmeno sapere lei perché.

«Una finestra?» chiede infine Adele. E per un attimo la sua voce pare strozzata. «E vi ha fatto delle domande?» Ora il tono è allarmato.

«Ha chiesto una cosa sola: che chiamassimo lei. Credo le voglia parlare.»

«D'accordo. Ditele che in un'ora, un'ora e mezzo al massimo, sono lì da voi. Il tempo di salire in macchina e arrivare in città.» La voce è rotta, tradisce urgenza, preoccupazione, forse anche paura.

«Dunque, si tratta davvero di sua sorella?» domanda Giovanna, sempre più perplessa. Si sarebbe aspettata una reazione diversa. Stupore, sì. Ma anche tenerezza, commozione, felicità.

«Certo che è mia sorella» afferma Adele con ritrovato vigore. Poi si profonde in scuse e ringraziamenti. Le spiace enormemente che Giovanna e suo marito si siano trovati in mezzo a una sua questione familiare. Arriverà al più presto e porterà via con sé la sorella, assicura, prima di porre fine alla telefonata.

Istanbul, 14 novembre 1969

Cara Adele,
sono partita da quasi tre mesi ma è come se fossero passati
anni. Anzi, secoli.

Del viaggio in treno ricordo poco, come se non fossi stata del
tutto presente a me stessa, la mente piena di dubbi, davanti agli
occhi l'enormità di ciò che avevo fatto e di ciò che mi attendeva.
Rammento il lusso della cabina, tappezzata di boiserie, sete e vel-
luti, la morbidezza del sedile, lo specchio dalla cornice dorata, che
cercavo di evitare. Guardavo il paesaggio correre via veloce oltre il finestrino, ed era il passato che mi lasciavo dietro le spalle.
A un certo punto un allegro chiacchiericcio mi ha richiamata in
corridoio: era affollato di uomini e donne eleganti che si dirige-
vano verso il fondo del treno. Incuriosita li ho seguiti e mi sono
ritrovata nel vagone ristorante, i tavoli apparecchiati con posate d'argento e stoviglie di porcellana finissima. Pur sapendo che
l'Orient Express è uno dei treni più lussuosi al mondo, sono rimasta abbagliata da tanto sfarzo racchiuso in un convoglio lan-
ciato a gran velocità verso l'ignoto. Però, quando un cameriere
mi è venuto incontro per farmi accomodare, sono scappata via.
All'improvviso mi ero sentita a disagio: avevo l'impressione che
tutti mi guardassero con severità. Mi sono rifugiata di nuovo nella mia cabina e non ne sono più uscita.

Quando sono arrivata a Istanbul, dentro di me mi sentivo a pezzi. Ero stanca – nonostante le comodità non avevo quasi mai dormito – e terribilmente impaurita. Non sapevo dove andare. Sono uscita dalla stazione di Sirkeci con il cuore pesante, trascinandomi dietro la valigia. Un facchino si era offerto di portarmela, ma io, per paura che me la rubasse, l'ho allontanato con un gesto scortese. Stavo per crollare. Erano le otto di mattina e l'aria echeggiava di suoni, richiami incomprensibili, odori speziati. La strada brulicava di gente e mezzi di ogni tipo, carretti, auto, biciclette. A ogni passo, la sensazione di aver commesso un terribile sbaglio partendo si faceva più bruciante. Mi assalivano infelicità e sconforto.

Sono entrata nel primo albergo che ho incontrato. Ho preso una camera con vista sul Corno d'Oro, dove sono rimasta fino a oggi. L'hotel Izmir è un vecchio albergo che ha conosciuto tempi migliori. Ora è frequentato per lo più da commessi viaggiatori, uomini che arrivano dalle più lontane province della Turchia con i campionari delle loro mercanzie. L'altro ieri nella hall ho incrociato un tipo con una pelliccia scura lunga fino ai piedi. Sul capo portava un colbacco altissimo e al collo un medaglione decorato con pietre dure azzurre, verdi e rosso corallo. Aveva con sé un baule di tappeti e uno strano strumento a corde simile a una chitarra. Superandolo, l'ho sfiorato senza volerlo e lui si è voltato per osservarmi. Aveva occhi nerissimi e magnetici, parevano truccati con il kajal. Sembrava mi leggesse dentro. Mio malgrado, ho rabbrividito. Ultimamente mi sento spesso addosso lo sguardo degli altri, come se sapessero.

Le scale dell'hotel Izmir sono un po' ripide e non c'è ascensore, ma dall'ultimo piano dell'edificio, dove viene servita la prima colazione, la vista è meravigliosa. Credo che mi mancherà.

Oggi, infatti, sto per lasciarlo. Ho di nuovo fatto la valigia. L'ho sistemata in un angolo, vicino alla porta, pronta per essere portata giù da un facchino. Mi trasferisco nel quartiere di Beyoğlu, in una nuova sistemazione che mi ha trovato Dario, un amico. Secondo lui, l'Izmir è una topaia, ma io non sono d'accordo. Però *devo riconoscere che, sebbene sia piuttosto economico, vivere in albergo è diventato troppo dispendioso per le mie finanze, ormai agli sgoccioli. E poi, secondo Dario, la zona a ridosso della stazione ferroviaria è malfamata: non si addice a una brava ragazza come me. Mentre lo dice mi strizza l'occhio. Non so se parla sul serio o vuole fare dell'ironia. Nel dubbio, evito commenti. Io sono consapevole di non essere una ragazza perbene, ma lui cosa ne sa? Sebbene a volte abbia l'impressione che intuisca di me più di quanto io gli racconti, non sembra giudicarmi in alcun modo. E allora, perché dovrei farlo io?*

Ecco, l'ho detto. Se ti aspettavi una lettera di scuse, resterai delusa. Con questo non voglio dire che mi perdono per quello che ti ho fatto, ma non sono stata l'unica ad aver commesso un gesto imperdonabile. La sola vera differenza tra noi due è che tu, a quanto pare, sei capace di continuare la tua solita vita come se niente fosse.

Ma ci riesci davvero? Solo io so quanta sofferenza nascondi. Non avremo mai più segreti l'una per l'altra noi due, è la nostra promessa.

Come ti dicevo sto per finire i soldi, ma non devi preoccuparti. Per fortuna, in Dario ho trovato un buon amico. Mi sta dando una mano: su di lui posso contare. Non ci crederesti, ma è una mia vecchia conoscenza dei tempi romani. Vecchia, si fa per dire. Forse in passato te l'ho pure nominato un paio di volte, sua sorella era una mia collega. Dario lavorava al ministero degli Esteri, poi è stato trasferito all'ufficio culturale del consolato italiano a Istanbul. Immaginavo che non l'avrei mai più visto, e invece... In realtà, quando il bigliettaio a Venezia aveva citato Istanbul, avevo subito pensato a lui.

Sapendo dove lavorava, una volta qui non è stato difficile rintracciarlo. Come gli dico spesso, mi ha salvato la vita. Grazie a lui, ogni cosa è diventata facile. Abita in città da nemmeno un anno, ma è come se ci vivesse da sempre. Mi ha introdotto nella comunità italiana locale e ho conosciuto un sacco di gente interessante che si gode la vita. Qui sanno come ci si diverte.

Dario mi ha trovato un alloggio nella villa di una ricca vedova che desidera un po' di compagnia. La casa è bellissima, circondata da un grande giardino. Inoltre, è a due passi dal consolato italiano. È una soluzione temporanea, poi si vedrà. Scherzando, non fa che ripetermi che devo trovare un buon partito e sistemarmi. Con la mia avvenenza, sostiene, posso puntare a un uomo molto ricco e pure bello, purché progressista e di larghe vedute. Qui, infatti, le donne straniere sole vengono guardate con sospetto, in quanto portatrici di costumi eccessivamente liberi. Una brava ragazza turca custodisce la propria verginità fino al matrimonio. I bravi ragazzi turchi di buona famiglia, invece, si guardano bene dall'osservare gli stessi dettami. Sembra che il loro passatempo preferito sia frequentare le case chiuse e sedurre le fanciulle virtuose. Salvo poi considerarle alla stregua di donne perdute. Sposare una ragazza non più illibata a quanto pare è impensabile. Non che in Italia sia tanto differente...

Sei stupita dalla spregiudicatezza con cui parlo di certe cose? Dovrai abituarti. Essere una straniera a Istanbul mi rende audace e sfacciata. Del resto, è così che tutti mi vedono, e io non voglio deludere nessuno. Sto cominciando una nuova esistenza. E posso essere chi voglio. Anzi, mi sto già trasformando in una donna del tutto diversa da quella che conoscevi. Perfino la mia ombra è cambiata: quando cammino per strada, la vedo con la coda dell'occhio affrettarsi dietro di me sul marciapiede, ed è diversa da com'era prima, ma anche da come me la sarei aspettata.

Sai che ho pure iniziato a fumare? Fumo sigarette Bafra senza filtro, che custodisco in un'elegante scatola d'argento. Mi piace il gesto con cui porto la sigaretta alla bocca, per poi allontanarla stringendo il bocchino con delicatezza tra le dita: mi fa sentire un po' Greta Garbo e un po' Marlene Dietrich. Se mi incontrassi per strada, probabilmente non mi riconosceresti.

Avrei molte altre cose da raccontarti, ma ora devo andare. Dario mi starà già aspettando nella hall. Mi accompagnerà con i miei bagagli nel nuovo alloggio e poi usciremo di nuovo. Stasera siamo invitati a un ricevimento all'hotel Hilton. Un imprendito-

re molto in vista festeggia il suo fidanzamento in pompa magna. Pare che lo champagne scorrerà a fiumi, il che è un avvenimento perché in Turchia i beni importati sono controllati dallo Stato, introvabili e costosissimi. Ma si vocifera che il nostro ospite abbia prosciugato le riserve dell'intera città.

Ti auguro che anche tu riesca a divertirti, qualche volta.

Tua sorella

«Avete saputo di Enrico e Lorenza?» chiede Elena con tono salottiero quasi volesse rompere la tensione che si è creata nella stanza.

«A parte il fatto che si sono rimessi insieme, cos'altro è successo?» la segue Giovanna.

«Sì, si sono rimessi insieme, ma la vera notizia è un'altra...» Elena sembra a conoscenza di un pettegolezzo che non vede l'ora di condividere. «Quando Lorenza, quasi un anno fa, se n'era andata da casa, aveva giurato a Enrico che non lo stava lasciando per un altro, ricordate? Gli aveva detto che aveva bisogno di prendersi una pausa di riflessione, di riappropriarsi dei suoi spazi eccetera eccetera e lui, pur soffrendo come un cane, se ne era fatto una ragione, sperando che tornasse, prima o poi.»

«E infatti è tornata» osserva Annamaria.

«Proprio così, è tornata» continua Elena. «Enrico era al settimo cielo e il bambino, poi, non ne parliamo. Bene, la scorsa settimana sono andati tutti e tre al mare, hanno trascorso una giornata bellissima, ma poi la sera Enrico, mentre cercava le chiavi dell'auto nella borsa di Lorenza, cosa ci trova?... Una confezione di preservativi.»

«Sul serio?» commenta Sergio divertito.

«Già! Quando Elena ieri me l'ha detto ci sono rimasto di

sasso. Non me lo sarei aspettato da una come lei» conferma Giulio.

«E allora lui che cosa ha fatto?» incalza Annamaria.

«Per il momento niente. Non ha ancora deciso, ma secondo me, vedrai che non la lascia» risponde Elena.

«Ma Lorenza gli ha mentito e lo ha tradito!» s'indigna Giovanna.

«Lui è un debole» commenta Leonardo.

«Perché un debole?» Ora è Elsa a parlare. Nella foga della conversazione si erano dimenticati di lei. «È felice con sua moglie? E allora che se la tenga stretta! Che importanza ha se lei gli ha detto una bugia? Le cose essenziali nella vita sono altre. Ciò di cui tutti noi abbiamo bisogno, alla fine è solo la felicità.»

Fra gli amici cala un silenzio strano, intimo e quasi confortante. Elsa con le sue parole sembra volerli spingere a riflettere sui veri valori dell'esistenza. Poi, ritornando all'atmosfera conviviale, aggiunge: «Anche il cibo che ci nutre e ci coccola è un'espressione di felicità. Vedete queste melanzane?» e indica i due piccoli ortaggi sferici viola chiaro che Giovanna ha inserito nel centrotavola tra i peperoncini. «Sono belle, ma io preferisco quelle grosse e allungate, quasi nere. Le avete mai mangiate con lo stufato di agnello? Io le metto in forno mentre cuocio a fuoco lento la carne con le cipolle e i pomodori. Quando sono pronte, tolgo loro la buccia, schiaccio la polpa e aggiungo della besciamella, rigorosamente preparata da me, e un pizzico di cannella. E per finire vi adagio sopra la carne.» Sta parlando con foga, e tutti hanno la sensazione che si stia rivolgendo, in realtà, a una persona che esiste solo nei suoi ricordi. «È una delizia! La delizia del sultano, appunto: *hünkar beğendi!*» conclude.

«*Hünkar*? È il nome della ricetta? Una specialità mediorientale?» interviene Giulio.

«Sì, un piatto squisito: l'hanno inventato i cuochi di corte per permettere a un sultano di conquistare una donna!» spiega Elsa sorridendo.

Annamaria e Giulio vogliono saperne di più e lei non si sottrae.

«Si narra che il sultano Abdülaziz fece preparare questa ricetta in occasione della visita dell'imperatrice di Francia Eugenia Bonaparte, moglie di Napoleone III» prende a raccontare con aria trasognata, come se recitasse a memoria una fiaba. «L'aveva conosciuta tempo prima a Parigi durante il suo unico viaggio all'estero, in occasione di un'esposizione, e sembra che tra loro fosse scoccata una scintilla. Quando, due anni dopo, Eugenia si recò da sola alla cerimonia per l'apertura del Canale di Suez, Abdülaziz la invitò a fare sosta a Istanbul. La leggenda vuole che per accoglierla degnamente fece rinnovare palazzo Beylerbeyi, un piccolo ma sfarzoso edificio sulla sponda asiatica del Bosforo. Decine e decine di operai ci lavorarono giorno e notte per finirlo in tempo, mentre un'orchestra suonava incessantemente per velocizzarne il ritmo. Quando l'imperatrice arrivò, Abdülaziz diede un banchetto in suo onore, e il piatto principale fu appunto "la delizia del sultano": *hünkar beğendi*. Quella notte l'imperatrice si fermò negli appartamenti del sultano, destando nella corte grande scandalo e perfino le ire della madre di Abdülaziz. Una notte, cui ne seguirono altre, finché la donna non riprese il suo viaggio.»

Elsa tace. Che persona affascinante, pensa Giovanna. Chissà quante storie conosce: deve aver girato il mondo.

«Ehi, Sergio, ci siamo con queste tagliatelle? Dopo aver ascoltato la signora Elsa anche noi vogliamo la nostra delizia, altro che sultano!» scherza Leonardo.

«E a che temperatura va regolato il forno?» chiede interessato Giulio. Ma Elsa non gli risponde. È di nuovo persa in chissà quali pensieri.

«Lasciatela in pace» interviene a bassa voce Sergio, che

è tornato ai fornelli. Ora ci penserà lui a tirarla su con un bel piatto di pasta.

«La passione è davvero uno stato d'animo imprevedibile. Ci credereste che ancora oggi ci si possa ammalare d'amore?» chiede Elena mentre riempie di nuovo i bicchieri di vino.

La sua non è una domanda retorica. Sperando di alleggerire un po' l'atmosfera, racconta un episodio occorso qualche giorno prima nell'ospedale dove lavora come internista. Al pronto soccorso si era presentato un uomo in preda a dolori fortissimi al petto, con i sintomi tipici di un infarto. Tanto che gli addetti all'accettazione gli avevano assegnato il codice rosso. Ma non aveva ancora iniziato a sottoporsi a tutti gli accertamenti del caso che era stato raggiunto dal compagno, un bellissimo ragazzo con cui aveva litigato poche ore prima in modo drammatico, così si era scoperto. I sintomi erano spariti all'istante. A controlli ultimati, l'uomo era risultato sano come un pesce.

«Il classico caso di cuore spezzato. Ma ha prontamente ricevuto la sua medicina» conclude istrionica Elena. È una miniera di storie, alcune commoventi, altre buffe, e le piace raccontarle. Non tutti, però, amano sentirle. Leonardo, per esempio, non perde occasione di metterne in dubbio l'autenticità.

«Di' la verità, ti sei inventata tutto di sana pianta. Sei una millantatrice, ecco quello che sei!» scherza.

«Ma se è la persona più sincera che io abbia mai conosciuto! E poi, che bisogno avrebbe: lo sai anche tu che la realtà supera sempre la fantasia» interviene Sergio, pronto a difendere Elena a spada tratta.

«Anch'io le credo» gli fa eco Giulio.

«Ma tu non conti, tu sei parziale: sei suo marito!» osserva Leonardo facendogli l'occhiolino.

Elena li osserva compiaciuta: ama instillare in chi l'ascolta il sospetto di essere, in realtà, un'inventrice di storie, più che una semplice cronista.

«Qualcuno vuole altro?» chiede Sergio.

Annamaria si volta verso Elsa. Strano, il suo piatto è ancora pieno. La sta guardando fissa con uno sguardo vacuo, la testa leggermente inclinata sull'alto schienale della sedia in una posizione in verità un po' innaturale. Annamaria la chiama dolcemente per nome, ma lei non risponde. Sì, c'è qualcosa di decisamente strano nel modo in cui Elsa è seduta. Un braccio pare abbandonato in grembo, ma l'altro pende quasi inerte verso il suolo.

Annamaria la chiama di nuovo. Senza accorgersene, ha alzato la voce, perché un'ondata di panico si sta impadronendo di lei. Istintivamente si appoggia una mano sul pancione, attraverso il sottile strato di stoffa dell'abito premaman. Il bimbo che porta nel ventre fa una lieve capriola e lei l'accoglie grata, come un segno rassicurante.

Ormai anche gli altri si sono accorti che c'è qualcosa che non va. Elena si è avvicinata e prova a scuotere Elsa, che non reagisce. Allora le prende delicatamente il polso tra pollice e indice per controllare il battito cardiaco. Tutti tacciono trattenendo il fiato. Qualche istante dopo Elena scuote il capo mestamente. Guarda gli amici a uno a uno, sul viso un'espressione sospesa tra lo sconcerto e il dolore. Elsa è morta.

Cara Adele,

ti chiedo scusa per l'ortografia tremolante, ma ho festeggia-
to senza negarmi nulla l'arrivo dell'anno nuovo e ora sto lot-
tando contro un'emicrania spettacolare. Nella scorsa lettera ti
ho accennato a una festa di fidanzamento, ricordi? Ebbene, proprio in quell'occasione ho conosciuto Ender, un nome che significa «raro». È un uomo ricchissimo e potente che da allora mi fa
una corte serrata. Fra tutti i miei ammiratori – non per vantar-
mi, ma ne ho parecchi – lui non è certo il più giovane e bello, ma
di sicuro è il più tenace. Il suo nome completo è Ender Şahin,
commercia in caffè e viaggia spesso, soprattutto in Brasile. È lui
che ieri sera ha dato una magnifica festa per salutare degnamente il 1970. Del resto, qui il Capodanno viene celebrato in modo
davvero esagerato, attingendo anche ai nostri tradizionali sim-
boli del Natale. Così, per festeggiare la fine dell'anno, Istanbul
si riempie di ghirlande e alberi riccamente decorati. Una vera
gioia per gli occhi.

Tra gli ospiti c'era naturalmente anche Dario, cui va il meri-
to o la colpa – non ho ancora deciso – di averci presentato. Io ero
l'invitata d'onore.

Per fare le cose in grande Ender ha affittato uno dei saloni più
sfarzosi del Pera Palas, l'hotel dove Agatha Christie nei primi
anni Trenta ha scritto uno dei suoi gialli più famosi, Assassinio

sull'Orient Express. *L'hai letto? Io sì. Una storia avvincente. La sua camera era la 411 e, poco prima di mezzanotte, Ender mi ha preso per mano e mi ci ha portata. L'aveva riservata tutta la notte solo per potermela mostrare. Siamo sgattaiolati via dal ricevimento e abbiamo percorso con aria complice le scale e i corridoi labirintici di questo affascinante albergo. Ender mi ha spiegato che nella stanza hanno lasciato tutto com'era quando la Christie è stata qui. Pare vogliano farne un museo. Quando siamo entrati, mi aspettavo quasi di trovarla ancora lì, all'opera. È incredibile, posata su un piccolo scrittoio c'è ancora la sua macchina da scrivere, o forse una copia fedele. Ho provato un brivido: anch'io ho viaggiato sull'Orient Express, anch'io ho sofferto per un tragico evento del mio passato... Mi sono sentita un personaggio dei suoi romanzi gialli, la potenziale vittima, ma anche la probabile assassina. Sai una cosa? In fondo anche l'amore è un delitto perfetto: a volte ti uccide, altre ti rende più forte, ma in ogni caso rappresenta l'alibi ideale per ogni tua follia.*

Ti capita mai di provare un simile turbamento ripensando a quello che è successo? Ma no, dimenticavo che tu hai sangue freddo e nervi d'acciaio! Hai sempre tutto sotto controllo, tu. Non sai cosa vuol dire cadere preda del panico. Sei la parte migliore di me, in questo. La più razionale, quella che sa sempre ciò che vuole, che non sbaglia mai. Quella che mi manca.

Per qualche istante, ieri sera, nella stanza 411, sono tornata indietro nel tempo, ed è stato doloroso. Finché sarò viva non verrò mai meno al nostro patto, quindi me ne sono stata zitta, ma devo essere impallidita perché Ender si è accorto che qualcosa non andava. Mi ha chiesto se stavo bene e io ho dato la colpa allo champagne. In quel momento ci siamo resi conto che stava per finire il 1969 e noi eravamo lì a guardarci intorno come due ladri mentre, sotto, gli ospiti si preparavano a brindare. Siamo corsi all'ascensore e li abbiamo raggiunti appena in tempo: Dario stava già mandando un esercito di camerieri a cercarci.

Ender sta provando a conquistarmi in ogni modo, ma finora gli ho resistito. Dario è sicuro che presto mi chiederà di sposarlo.

Dice che è pazzo di me. Ed è il tipo che ama concludere andando per le spicce. In fin dei conti, è un mercante abituato a ottenere tutto ciò che vuole... Per lui il tempo è la merce più preziosa. Dario dice anche che dovrei accettare, però io non ne sono sicura. Ender è un uomo a suo modo affascinante, ma ha anche fama di essere un donnaiolo. Non che io sia gelosa, per carità, ma non so se sono ancora pronta a impegnarmi in un rapporto che potrebbe rivelarsi complicato e che, almeno sulla carta, dovrebbe durare tutta la vita. Comunque, a essere cinica e spregiudicata fino in fondo, c'è un'ottima ragione che potrebbe spingermi tra le braccia di Ender: la sua ricchezza.

Sei scandalizzata? Dovrai farci l'abitudine. La tua sorellina sta imparando in fretta l'arte di ingegnarsi nella lotta per la sopravvivenza, e intende cavarsela al meglio.

Inoltre, la generosità disinteressata di Dario non potrà durare in eterno e io sono stufa di dovermi dare pensiero per le mie finanze.

A queste preoccupazioni, poi, se ne aggiunge un'altra: ho bisogno di trovare un nuovo alloggio perché la mia attuale sistemazione mi sta stretta. La signora Vural si è rivelata una donna arcigna e livorosa. Non fa che lamentarsi delle mogli dei suoi due figli. Entrambi vivono all'estero e non si fanno mai vivi: uno è oculista e sta in America, l'altro abita a Parigi e la sua professione resta avvolta nel mistero. La settimana scorsa, dopo mesi di silenzio, le ha telefonato per chiederle di mandargli dei soldi con un vaglia. Ci crederesti? La signora Vural è corsa in posta e gliene ha spediti il doppio. «Poverino, è sangue del mio sangue, per lui ci sarò sempre» si è giustificata.

È rimasta vedova giovane, li ha tirati su da sola, e quelli invece di esserle grati, la ignorano o la sfruttano. E lei che fa? Non si arrabbia con loro, se la prende con le nuore, come se tenessero prigionieri i mariti e li obbligassero a maltrattare la madre. E guai a tentare di farla ragionare: ti si rivolta contro con frasi velenose. La signora Vural ama i propri figli indifendibili con ferocia. La sua ottusità mi irrita profondamente, sebbene in fondo la capisca: so dove può portare l'amore cieco, e lo sai anche tu.

Tre giorni fa sono andata al cinema Emek, una sala costruita negli anni Trenta, dove le poltroncine sono ancora quelle originali in velluto rosso, ormai liso nel mezzo. Avevo adocchiato la locandina di una rassegna di cinema italiano appesa in una bacheca al consolato, un pomeriggio che ero andata a prendere Dario. Quando ho visto che davano 8 ½ di Federico Fellini non potevo crederci. La proiezione era di pomeriggio e ho deciso di andarci da sola. Mentre stavo raggiungendo il cinema a piedi sono passata davanti alla vetrina di una pasticceria che esponeva dolci simili ai nostri babà. Sono entrata d'impulso e ne ho acquistato un paio con l'idea di mangiarmeli guardando il film. Ho atteso che spegnessero le luci in sala per aprire il sacchetto, ma ho fatto un po' di rumore e il tizio che era seduto nella fila davanti si è girato per darmi un'occhiataccia. Mi sono sentita una monella. Non puoi immaginare quanto sia stato bello starmene seduta lì al buio a mangiucchiare pasticcini mentre seguivo le traversie creative di Marcello Mastroianni, regista in crisi alla ricerca della propria ispirazione. È stato come fare un bellissimo sogno riparatore nel quale ogni cosa sembra immaginata per sollevarti lo spirito: i luoghi familiari, i volti, il dolce suono della tua lingua madre... Il turco, che pure è una lingua bellissima, è ben più aspro. Mi ci sto mettendo d'impegno per impararlo, ma non è facile. La mia maestra, la signorina Güzin, una zitella di mezza età che ha abitato a lungo a Firenze, non fa che ripetermi che sto facendo passi da gigante, ma è un'adulatrice nata.

Uscendo dalla proiezione, ho dato un'occhiata al programma. A febbraio è previsto Io la conoscevo bene *di Antonio Pietrangeli, con Stefania Sandrelli: è un film più triste, ma ugualmente non me lo perderò. Mi comprerò di nuovo un cartoccio di paste e, così munita di generi di conforto, mi accomoderò in una poltroncina a metà sala in posizione centrale. Si spegneranno le luci e io tornerò in Italia per un paio d'ore scarse incluso l'intervallo. Se ne farò un'abitudine, temo che diventerò molto grassa!*

Per il momento, però, sono uno schianto. La donna più affa-

scinante e ammirata dell'alta società di Istanbul. Non sono io a dirlo, ma Dario. Mi riporta con sollecitudine ogni pettegolezzo gli giunga all'orecchio sul mio conto. Tutti questi complimenti lo riempiono d'orgoglio, come se fossi una sua creatura. A lui le donne non piacciono in quel senso, ha altri interessi, ma adora giocare con me come con una bambola. Da agghindare, vezzeggiare, esibire. E io glielo lascio fare, tanto più che è lui poi a pagare il conto. Va pazzo per gli abiti da sera scollati, le scarpe con il tacco, le borse importate dalla Francia. Mi accompagna a fare shopping per le vie di Nişantaşı, un quartiere pieno di boutique in stile parigino che piacerebbero pure a te. Le commesse ci prendono puntualmente per marito e moglie, e noi ci divertiamo a farlo credere. Ogni tanto recitiamo per loro brevi battibecchi coniugali e, a volte, perfino scenate di gelosia.

Ieri mi ha regalato un abito da sera rosa e rosso corallo con ricami d'oro. È meraviglioso. Lo indosserò venerdì prossimo. Il consolato italiano organizza un ricevimento e Dario conta su di me per fare gli onori di casa. Ci sarà anche Ender, ma io ho intenzione di tenerlo sulle spine. Bisogna dargli atto, però, che non si arrende facilmente. Questa mattina mi ha fatto recapitare due dozzine di rose rosse. Comunque, tra pochi giorni partirà per il Brasile: se mi dovesse mettere alle strette con una proposta di matrimonio, gli dirò che ne parleremo al suo ritorno.

L'avresti mai immaginato che tua sorella, la ragazzina timida che alle feste se ne stava in un angolo mentre tu venivi invitata a ballare, ora sia la regina del jet set di Istanbul? Io stessa provo tenerezza per l'ingenua sognatrice che ero. Ma ora sono cambiata. Ho tanto cercato il mio posto nel mondo, ed era dentro di me: proprio qui dove mi batte il cuore, dove fluisce il mio sangue, dove respiro, piango e rido restando viva. Il mio destino sono io. Non mi lascerò mai più trascinare dagli eventi. Nel bene e nel male, tutto quello che mi accadrà l'avrò voluto io.

È una promessa che mi faccio ogni giorno e che ogni giorno cerco di mantenere, ma solo tu puoi immaginare quanto mi costi. Indosso la maschera sorridente di una donna frivola e compiaciuta, ma in fondo al cuore provo uno strazio senza fine. Così, quando rientro a casa la sera e torno a essere completamente me stessa, ripenso a quanto eravamo unite e mi dispero. Sì, un destino davvero tragico e beffardo ci ha divise, ma quello che rappresentiamo l'una per l'altra non cesserà mai. Ricordalo: siamo sorelle, il legame che ci unisce scorre nelle nostre vene e sarà così finché vivremo.

Nel frattempo, provo a divertirmi più che posso. È il mio antidoto all'infelicità. Stasera, per esempio, un amico mi porterà fuori a cena in un nuovo ristorante specializzato in cucina ottomana, di cui dicono meraviglie.

Bayram è un altro mio spasimante, anche se praticamente un ragazzino. In verità, credo abbia pochi anni meno di me, però possiede la maturità di un adolescente. Appartiene a una famiglia di industriali del ramo tessile, ma non mi sembra impaziente di dedicarsi agli affari. È fissato con gli Stati Uniti, dove sta per tornare per finire l'università, e per tutto quanto glieli ricorda: i film western, i capelli con il ciuffo alla James Dean, la Coca-Cola, i jeans... Sua madre è una delle donne più influenti della buona società di Istanbul. È lei che decide chi ne può far parte. L'ho incontrata una volta a un evento al consolato: mi ha ricordato te. O meglio, come penso sarai tra vent'anni: algida, elegante e carismatica.

Bayram, lui sì che sarebbe un buon partito per me. È giovane, sufficientemente ingenuo e pieno di soldi. E poi, è bello e mi desidera ardentemente. Ma non mi sposerà mai, perché sua madre non glielo permetterà. L'ha destinato a una brava ragazza turca di buona famiglia. Tre requisiti di cui io sono priva, almeno ai suoi occhi.

Ender è astuto, ma non così esigente. O forse lo è, però segue altri criteri. Lui vuole una «cattiva» ragazza che conosca il mondo. Quanto alle origini, non gli interessano. È abituato a valutare ciò che gli preme guardando, annusando e toccando. Sono parole sue. Io comunque non ho ancora deciso e lui, del resto, ufficialmente non mi ha chiesto nulla. Quindi, che male c'è a trascorrere una piacevole serata con un ammiratore impetuoso e bello come il dio dell'amore?

Si è fatto tardi, devo prepararmi. Ho già scelto l'abito, blu notte con intarsi d'oro e d'argento. Non credo ti piacerebbe.

Con amore,

tua sorella

È arrivata l'ambulanza. A chiamare il numero unico di emergenza è stato Sergio. Quando finalmente qualcuno aveva risposto, non era stato facile spiegarsi. L'uomo del centralino se l'era presa comoda. Non faceva che dire: «Non ho capito», «Vuole ripetere, per favore?». Sergio era dovuto ricorrere a tutta la sua pazienza per non esplodere. In quei momenti concitati aveva compreso cosa significasse sentirsi in balìa degli eventi. E intanto, il tempo scorreva inesorabile. Chissà, forse Elena si era sbagliata. Magari Elsa era solo svenuta e ora quel tizio dall'altro capo del telefono gli stava facendo perdere minuti preziosi...

Ma Elena non si era sbagliata.

Adesso Sergio osserva con distacco gli operatori dell'ambulanza darsi da fare intorno al corpo senza vita di quella donna di cui non sa nulla. Giovanna, accanto a lui, distoglie lo sguardo. Quegli uomini indossano uniformi di un arancione così sgargiante da farle male agli occhi. In cucina sono rimasti solo loro due ed Elena, gli altri si sono rifugiati in sala. Li sentono bisbigliare da dietro la porta socchiusa.

Elena si presenta: «Buongiorno, sono la dottoressa...». Non appena gli operatori vengono a sapere che è medico sembrano diventare più solerti. Le sue credenziali fanno colpo, ma allo stesso tempo devono destare qualche preoccupazione, Sergio ha questa impressione. Forse temono il giudizio di qualcuno che, almeno formalmente, è loro superiore. Elena, comunque, non pare farci caso e li informa in modo preciso e autorevole dell'accaduto, ipotizzando che la vittima sia stata colta da un malore del tutto improvviso.

«Solo un attimo prima ci raccontava di una ricetta a base di melanzane, e poi è morta. Così, senza un lamento! Lì per lì non ce ne siamo nemmeno accorti...» s'intromette Giovanna.

«Quindi ci avete messo un po' di tempo prima di capire che la signora stava male?» chiede un operatore rivolgendosi a Elena.

«Ma no, si sarà trattato di pochi istanti, due minuti al massimo. Stavo raccontando un aneddoto e tutti gli sguardi erano concentrati su di me. Io stessa non la stavo guardando perché era alla mia estrema destra, fuori dal mio campo visivo. Quando le ho sentito il polso, purtroppo non c'erano più segni vitali.»

«E ha constatato che la signora non aveva più battito cardiaco» insiste l'operatore.

«Esattamente.»

«La signora aveva mangiato qualcosa di particolare? Qualcosa che potrebbe averle causato un arresto cardio-circolatorio?»

«No, non ha praticamente toccato cibo» e Giovanna indica la pasta ormai fredda che la loro ospite non mangerà mai più.

«Non ha nemmeno voluto il vino: quando ho fatto per versargliene un bicchiere, mi ha fermato spiegandomi che preferiva l'acqua. Per la precisione, mi ha detto: "Oggi è meglio che non beva"» aggiunge Sergio.

«Però prima di pranzo ha assunto un farmaco» interviene Elena. «Credo che dovreste guardare nella sua borsa: c'è la confezione. Forse troverete anche una ricetta. Immagino fosse malata.»

I paramedici intanto si danno da fare eseguendo ugualmente tutte le procedure per rianimare Elsa, ma la diagnosi di Elena purtroppo è corretta: ogni tentativo si rivela inutile.

«Niente da fare. La signora è deceduta» annuncia un tipo corpulento, che ha tutta l'aria di essere il responsabile. Mentre l'operatore che aveva interrogato Sergio compila un modulo e glielo fa firmare, i suoi colleghi iniziano a radunare l'attrezzatura. Lui fa uno scarabocchio senza prestare attenzione, annientato da quella burocrazia mortuaria. Gli sembra quasi di guardare un film. Uno di quei drammi catastrofici con i soccorsi che arrivano a pochi minuti dalla fine, quando tutto sembra perduto, ribaltando in modo provvidenziale il corso degli eventi. In questo caso, però, non è previsto alcun lieto fine.

Il corpo che fino a poco tempo prima apparteneva a Elsa giace su una barella, come un sacco. Sul volto grigio spicca in modo sinistro il rossetto sbavato. Lì accanto, appena scostata dal tavolo, c'è la sedia sulla quale si era accomodata nemmeno un'ora fa. La sedia da dove non si è più rialzata.

Il paramedico più loquace ha una ricetrasmittente dall'aspetto antiquato appesa alla cintura, come fosse una pistola. L'infernale scatoletta emette dei suoni gracchianti. Sergio ci impiega un po' a capire che è una voce metallica che parla a scatti, impartendo ordini secchi. La frequenza è molto disturbata. Comunque, nessuno di loro sembra badarci. Quel ronzio insistente rende la scena ancora più irreale.

«Come mai hanno in dotazione una tecnologia così obsoleta? Non sarebbe più pratico uno smartphone?» si domanda a mezza voce Sergio, che è il tipo d'uomo che si precipita ad acquistare l'ultimo modello di cellulare il giorno stesso che viene messo in vendita.

«Cosa c'è?» chiede Giovanna alle sue spalle.

«No, niente, mi domandavo solo come mai non hanno degli smartphone, invece di queste baracche gracchianti, per comunicare con la sala operativa.»

«Credo che utilizzare le frequenze radio sia un metodo più

sicuro, casomai la zona presenti dei problemi di copertura della rete» ipotizza Elena.

Giovanna resta in silenzio. Quando non sa cosa dire preferisce tacere. Osserva il viavai degli operatori sanitari con una sorta di compiacimento. I gesti misurati, frutto di una routine codificata, con cui coprono il cadavere con un telo azzurrino le richiamano alla mente certi rituali ancestrali visti in un documentario su alcune popolazioni primitive. Apprezza quella efficienza così inossidabile che nulla, nemmeno la morte, scalfisce. Sembra che quegli uomini sappiano sempre cosa è giusto fare, anche quando non c'è più nulla da fare.

«Tra un po' arriverà la sorella. Bisognerà comunicarglielo» dice di soprassalto rivolgendosi a Sergio. Ha il tono pratico di chi desidera risolvere velocemente un problema.

«È vero! Me n'ero quasi dimenticato...» Sergio si sente male solo all'idea di dover spiegare a quella gentile signora che ha perso la congiunta poco prima di reincontrarla, dopo così tanti anni. Davvero un crudele scherzo del destino.

«Dove la porterete?» s'informa pratica Giovanna, attirando l'attenzione del paramedico. «C'è una parente, la sorella... Immagino ci saranno delle formalità da espletare.»

«Ci pensate voi ad avvertirla?»

«Sì, certo. In realtà, sta venendo qui. Arriverà tra poco.»

L'uomo le dà l'indirizzo e un numero di telefono della camera mortuaria dell'ospedale verso cui sono diretti e lei li annota velocemente sul taccuino che tiene in cucina. Quello che usa per la lista della spesa.

Nel frattempo, in sala, gli amici hanno smesso di parlare sottovoce. Qualcuno ha spalancato la porta e ora guardano i paramedici andarsene portando con sé il corpo di Elsa. Giulio si lascia cadere su una poltroncina, il volto pallido, lo sguardo perso nel vuoto. Elena lo raggiunge: il suo stato la preoccupa. Come mai è così distrutto? In fondo, quella donna nemmeno la conosceva, non è normale che sia così scosso. Per dargli conforto gli posa una mano sulla spalla accarezzandolo affettuosamente.

«Ehi bello, che c'è? Stai bene?» gli chiede sollecita.

«Sì, sì» bofonchia lui ripiombando subito dopo in un insolito mutismo.

I paramedici se ne sono appena andati con il loro triste carico, che arrivano dei poliziotti. È Giovanna ad aprire la porta. Sono in tre, tutti molto giovani e nervosi. Uno di loro, occhi di un grigio slavato e corta barba rossiccia, ha con sé una cartelletta. Si accomoda senza chiedere permesso proprio sulla sedia dove è morta Elsa, ma né Sergio né Giovanna hanno il coraggio di dirglielo.

«Perché anche la polizia? Chi è che l'ha chiamata?» chiede Annamaria sottovoce.

Leonardo alza le spalle. Che ne sa lui? Entrambi guardano Elena con aria interrogativa: in questa circostanza il suo essere medico ai loro occhi assume una sorta di aura di onniscienza.

«Ragazzi, non ne ho idea. Forse al centro unico di emergenza in caso di morte improvvisa allertano automaticamente le forze dell'ordine» azzarda.

Annamaria si sdraia sul divano. Sistema un paio di cuscini sotto le gambe per tenerle sollevate in modo da favorire la circolazione, come le ha consigliato il ginecologo. Da quella posizione ha una perfetta vista della cucina.

«Gradite qualcosa? Un bicchiere d'acqua? Un caffè?» sta chiedendo Sergio solerte agli agenti, neanche fossero lì per una festa. Ma quelli non sono in vena di perdere in convenevoli un solo secondo del loro tempo prezioso.

«No grazie, con il suo aiuto ho solo bisogno di ricapitolare l'accaduto per stendere il rapporto» risponde per tutti il poliziotto con la barba. Nella mano sinistra brandisce una cartelletta, nella destra una penna.

L'unico che sembra non badare a quanto gli sta accadendo intorno è Leonardo. Prende da uno scaffale della libreria un album di fumetti e, appoggiato a una parete, si mette a leggerlo neanche fosse in tram o nella sala d'attesa del dentista. I suoi amici, però, sanno che è solo una posa. Fingere che non sia successo nulla è una strategia come un'altra di fronte a qualcosa che è impossibile controllare.

In realtà, all'arrivo dei poliziotti Leonardo è stato colto dal panico. Non ha mai avuto a che fare con le forze dell'ordine in tutta la sua vita, eppure si sente assurdamente colpevole. È come se avesse commesso un delitto i cui dettagli ora gli sfuggono. L'intero appartamento è diventato una sorta di scena del crimine e lui si aspetta da un momento all'altro di essere chiamato a dare conto delle proprie azioni. Già, ma quali? Il giornaletto trema leggermente tra le sue mani. Diabolik ed Eva Kant hanno appena rubato dei gioielli in una notte di luna piena. Anche lui si sente un ladro, e ne è terrificato. Come al solito, ostenterà un atteggiamento spavaldo e un po' sprezzante, così nessuno si accorgerà di quanto ha paura. Nessuno, tranne chi lo conosce bene, naturalmente.

«Ma che fai, Leo? Cosa leggi?» La voce di Annamaria suona lamentosa.

«Niente, un vecchio "Diabolik". Non sapevo che a Sergio piacesse...» risponde sollevando appena gli occhi al di sopra della pagina.

«Va bene che sei suo amico, ma mica puoi pretendere di sapere tutto quello che gli piace!» scherza lei con leggerezza, accarezzandosi la pancia.

Leonardo torna a tuffarsi tra le vignette. Fa fatica a guardarla: l'imminente maternità di Annamaria lo affascina e lo terrorizza al tempo stesso, così preferisce ignorarla. Meglio concentrarsi sui poliziotti. Sempre aggrappato a «Diabolik», neanche fosse un'ancora di salvezza in un mare in tempesta, dà una sbirciata verso la cucina. Uno degli agenti sta parlando con Giovanna, ma gli occhi di Leonardo sono tutti per Sergio che, a differenza sua, appare tranquillo e disinvolto perché ha il dono di sapersi comportare nel modo giusto in ogni situazione. Leo lo osserva prendere la parola, in piedi tra quegli uomini in divisa che sembrano pendere dalle sue labbra. Un riflesso del vetro della finestra gli incendia i capelli. Sopraffatto da un'emozione cui non riesce ancora ad abituarsi, Leonardo lascia cadere il fumetto a terra. All'improvviso «Diabolik» ha perso ogni interesse. Un poliziotto intanto si è affacciato sulla soglia della sala per invitare il resto della compagnia a radunarsi in cucina.

«Dunque, non conoscevate la deceduta?» È la terza volta che l'agente con la barba ripete la stessa domanda. Sembra non riesca a capacitarsi di una situazione così bizzarra.

Già abbastanza provato, Sergio pensa che sia meglio lasciar parlare Giovanna. E infatti lei, serafica, rispiega tutto daccapo, senza scomporsi. Finalmente l'agente sembra convinto.

«Gli effetti personali della signora?» chiede.

«Aveva con sé soltanto questa borsa» interviene Sergio, porgendogli la capace sacca ricamata, mentre i suoi occhi, quasi senza volerlo, cercano le lettere che Elsa aveva appoggiato sul tavolo. Meno male, sono ancora lì. Ne è sollevato. Anche Giovanna ha avuto lo stesso pensiero e si scambiano un rapido sguardo d'intesa. Le consegneranno alla sorella, non appena arriverà. La consapevolezza di doverle dare la tragica notizia torna a colpire Sergio sgradevolmente. Ma subito l'allontana: ci penserà in un secondo momento.

Nella borsa della defunta gli agenti, oltre a un documento d'identità italiano, trovano un passaporto turco. Sergio riesce a sbirciare: il primo reca una foto di almeno trent'anni prima, il secondo ha un'immagine più recente. La donna ritratta è la stessa, ma il nome sembra diverso. Probabilmente in Turchia si era sposata e aveva assunto il cognome del marito. La città dove il documento è stato rilasciato è Istanbul.

«Istanbul!» esclama Giovanna rapita. È affascinata da quella città! Ha sempre desiderato andarci, ma non c'è ancora riuscita.

«L'avevo immaginato, dopo la ricetta del sultano...» osserva Elena.

«Dunque, è da Istanbul che ha spedito le sue lettere» commenta sottovoce Annamaria.

L'unico a non dire nulla è Giulio. Da quando Elsa è morta, non ha più aperto bocca. Nessuno dei suoi amici può immaginare quanto sia sconvolto. Trovarsi a tu per tu con la morte lo ha scioccato. A tavola era seduto proprio davanti all'ospite sconosciuta: non si scorderà facilmente quegli occhi vitrei che lo fissavano senza più vederlo. E lui che non si era accorto di nulla!

Intanto i poliziotti chiedono loro i documenti.

«Dobbiamo prendere le vostre generalità. Si tratta solo di una formalità» spiega l'agente con la barba. «È comunque mio dovere informarvi che nei prossimi giorni potreste essere chiamati in commissariato per un'ulteriore deposizione» aggiunge con tono professionale, come se stesse recitando un regolamento a memoria, prima di andarsene insieme ai suoi colleghi.

I loro passi rimbombano giù per le scale mentre Giovanna socchiude la porta e poi vi si appoggia contro di schiena con tutto il suo peso, quasi a impedire ad altre disgrazie di irrompere in casa sua. Chiude gli occhi e fa un profondo respiro. La lucida calma di prima sta lasciando il posto a una rabbia di cui lei stessa si sorprende. Ce l'ha con Elsa. La simpatia che aveva subito provato per lei sta soccombendo sommersa da un'ondata di sconcertante rancore. Chi era quella donna per intromettersi impetuosamente nell'ordinata routine della sua vita perfetta? Cosa le era saltato in mente di lasciare Istanbul, una città che Giovanna non conosce e che stenta anche solo a immaginare, per venirsene a morire proprio nella sua cucina? Si sente crudele ed egoista, eppure non riesce a fare a meno di formulare queste tacite accuse.

«Che hai?» le chiede Annamaria, notando l'improvviso cambiamento d'umore dell'amica.

«Sono dispiaciuta, tutto qui» risponde lei, tenendo per sé i suoi veri sentimenti. Dovrebbe mostrare compassione per quella povera donna che ha affrontato un viaggio impegnativo pur di incontrare la sorella, e che invece è morta in mezzo a degli sconosciuti che chiacchieravano dei fatti loro senza fare caso a lei, divorando un piatto di pasta.

«Hai ragione, è davvero una storia triste» approva Annamaria. «E che sfortuna! Affrontare questo viaggio per venire a morire nella cucina di un'estranea... Che senso ha?»

Sembra quasi le stia leggendo nel pensiero. Giovanna, suo malgrado, arrossisce. Cerca con tutte le sue forze di assumere l'espressione afflitta che ci si aspetta da lei, ma stenta a cancellare ogni traccia del rancore che ancora le ribolle dentro. È come se insieme alla casa, la morte di Elsa avesse profanato la sua esistenza patinata, mostrandole delle macchie che finora era riuscita a ignorare.

«Ti sbagli.»

Tutti si girano verso Giulio: è stato lui a parlare. Finalmente si è scosso da quella specie di muto stordimento. Sta guardando Annamaria.

«Cosa vuoi dire?» chiede lei.

«Non è morta nella cucina di un'estranea. Ai suoi occhi questo era rimasto l'appartamento dove cinquant'anni fa era vissuta. Un luogo amico, benevolo, familiare. Che ci fossimo noi o qualcun altro, per Elsa non aveva la minima importanza: l'essenziale era trovarsi qui. Certi posti hanno la capacità di trattenere le emozioni, proprio come fa un essere umano con il respiro. Poi le lasciano andare molto lentamente, e chi è in grado di percepirle le assorbe in ogni cellula del suo corpo. Ti fanno sentire a casa per sempre.»

È evidente a tutti, ormai, che anche Giulio, ipersensibile

com'è, ha appena rivissuto una serie di profonde emozioni. Elena si avvicina e lo abbraccia.

«Resta aperta la questione della sorella. Che facciamo?» chiede preoccupata Annamaria.

«E cosa vuoi fare? Ormai starà per arrivare» osserva Leonardo.

«Quando sarà qui le spiegheremo quello che è successo, con delicatezza» aggiunge Elena.

«I poliziotti si sono annotati il suo nome: non possono avvisarla loro?» chiede speranzosa Annamaria.

«E come fanno? Io ho dato il numero di casa e la signora Adele sarà in viaggio, adesso» fa notare Giovanna.

«Perché il numero di casa?» le chiede Sergio.

«È l'unico che ho.»

«Secondo me, in ogni caso è meglio che glielo diciamo noi, di persona. Mi pare più umano» interviene Giulio, che ha definitivamente ritrovato la voce.

«Più umano?» chiede Giovanna.

«Ma sì, ormai è per strada ed è una persona non più giovanissima. Ricevere una notizia così terribile con una telefonata della polizia non lo augurerei a nessuno» concorda Elena.

«Certo. Chiedevo solo così, per capire...» quasi si scusa Annamaria.

«Elena ha ragione: quando arriverà, qualcuno di noi glielo dirà con le dovute cautele» chiude la questione Sergio. Sa già che sarà lui quel qualcuno. Giovanna non è abbastanza diplomatica. E poi, ora è strana: qualcosa la preoccupa. Sì, parlerà lui alla signora Adele, è deciso. Si sente male alla sola idea, ma non può sottrarsi. Per mitigare il nervosismo prende il piatto di portata con l'arrosto e lo svuota nel bidone della spazzatura. L'idea di conservarlo per consumarlo a un pasto successivo gli dà il voltastomaco.

«Hai delle gocce di qualcosa? Un calmante?» gli chiede Leonardo.

«Sì, dovrei avere ancora una boccetta di Lexotan. Vieni.»
Sergio si dirige verso il bagno e l'amico lo segue. Socchiudono la porta e si abbracciano.

«Tranquillo Leo, va tutto bene. Va tutto bene» gli sussurra Sergio stringendolo tra le braccia.

L'amico gli si abbandona. Le voci degli altri giungono soffuse, come da molto lontano, ma loro non le sentono neppure. Leonardo cerca le labbra di Sergio e lo bacia appassionatamente.

Cara Adele,

ho grandi novità da raccontarti.

La prima sarà per te una sorpresa, o magari no. Mi sono sposata. Ender ha giocato con me come il gatto con il topo e alla fine ha vinto. Mi ha corteggiata, adulata, riempita di regali costosi. Ha fatto in modo che Dario, non so quanto consapevolmente, si facesse messaggero delle sue intenzioni, per sondare il terreno. Poi è partito per il Brasile in modo misterioso, senza salutare, e quando è tornato, tre settimane dopo, ha fatto passare diversi giorni prima di farsi vivo. Io mi stavo già chiedendo se fosse accaduto qualcosa che l'avesse indotto a cambiare idea su di me. Via via che il tempo trascorreva, l'incertezza me lo aveva reso sempre più interessante.

Non che avessi smesso la mia vita spensierata, però. Uscivo quasi tutte le sere a cena o a ballare o anche solo per sorseggiare un bicchiere di raki in uno dei tanti locali di Bebek, insieme a Dario e ad altri amici. Ogni giovedì pomeriggio andavo al consolato, dove in una stanza appartata era stato allestito un salottino riservato per l'Associazione Donne Italiane a Istanbul. Più che altro, facevo estenuanti partite a bridge con un affiatato gruppetto di incallite giocatrici che, mentre guardavano le carte, si scambiavano nostalgiche, appetitose ricette regionali italiane. Ora non le frequento più, sarebbe troppo scomodo raggiun-

gerle. Un po' mi spiace. Avevo imparato velocemente a giocare e me la cavavo bene.

Ma, soprattutto, avevo la mia piccola corte di ammiratori, tra cui primeggiava Bayram, bello come il sole. Tutto sommato, era una routine più che piacevole, che il silenzio di Ender non scalfiva affatto. Ma quanto sarebbe durata? L'estrema precarietà della mia situazione non mi è mai sfuggita. Inoltre, c'era il problema dell'alloggio che si stava facendo di giorno in giorno più urgente. Certo, stare dalla signora Vural era conveniente, visto che non pagavo nulla, ma dissimulare la mia antipatia nei suoi confronti stava diventando sempre più difficile e la vedova aveva iniziato a guardarmi storto. Di sicuro mi avrebbe presto riservato la stessa ostilità che nutriva per le nuore. E prima o poi avrebbe trovato una scusa per chiedermi di cercare un'altra sistemazione.

Era divertente uscire con Bayram, passeggiare mano nella mano nell'aria primaverile sotto la frescura dei tigli e dei castagni fingendo di essere fidanzati. Ogni tanto un suo zio scapestrato, la pecora nera della famiglia, gli permetteva di usare il suo appartamento, un bilocale nel quartiere di Pera. Ci rifugiavamo in quella tana da scapolo piena di specchi e facevamo l'amore su un vecchio divano. Ma presto Bayram sarebbe partito per New York, per terminare l'università. Sua madre non aspettava altro. Sapeva bene che probabilmente non ci saremmo mai più rivisti.

Insomma, la situazione solo un mese fa era questa. Tanto divertimento, molte spese, amori destinati a finire come le mie finanze, e nessuna seria prospettiva. Tranne quella di sposare un uomo spregiudicato almeno quanto me, se non di più. Un uomo a suo modo affascinante, ma di cui non sono innamorata.

La mia vita sta diventando un romanzo d'appendice, non trovi?

Con tanto di lieto fine: la settimana scorsa Ender e io ci siamo sposati.

Quando me l'ha chiesto, eravamo al ristorante. Mi ha portato a cena da Rejans, un locale molto alla moda. Ender è un cliente abituale, il cameriere l'ha accolto facendo mille cerimonie. Ho avuto la sensazione che abbia scelto apposta di portarmi lì, dove è conosciuto e ossequiato: voleva impressionarmi facendo sfoggio della sua reputazione. Comunque, il suo è stato uno sforzo davvero inutile, perché tanto avevo già deciso. Mentre aspettavamo il dessert, due pesche melba con gelato di vaniglia, ha estratto dalla tasca della giacca una scatolina di velluto blu. Dentro c'era il solitario con il brillante più grosso e luminoso che abbia mai visto in vita mia. Ender mi ha preso la mano sinistra e l'ha infilato all'anulare: mi stava a pennello, quasi avesse preso di nascosto la misura del dito per non sbagliare. Non so perché, ma questo pensiero mi ha commossa. È un anello ancora più prezioso di quello che sembra. Non me lo sono più tolto da allora.

La cerimonia è stata tutto sommato abbastanza sobria. E al rinfresco c'erano un centinaio di invitati, non di più. Nessun parente, da parte mia. Solo Dario. Ender ha insistito per festeggiare all'hotel Hilton perché ci siamo conosciuti lì, alla festa di fidanzamento di una coppia, di cui peraltro abbiamo perso entrambi le tracce. Romantico, no? Alla fine, Ender si sta rivelando un marito sollecito.

Siamo andati ad abitare in una grande villa rossa, affacciata sul Bosforo, a Bebek. L'ha acquistata apposta per me, anche perché lui se la gode poco: come ti ho già scritto, viaggia tantissimo per lavoro. È un'altra sua qualità. Non vedersi spesso è il miglior segreto per andare d'accordo.

La casa è magnifica, piena di stanze, sale e salottini, con un vasto giardino sul retro. Dalla camera da letto posso ascoltare lo sciabordio dell'acqua contro il pontile. L'altra notte non riuscivo a dormire, così ho sentito le voci di due pescatori che si erano fermati proprio sotto la mia finestra. I loro erano poco più che sussurri e non capivo bene cosa si dicessero, ma sembrava che uno stesse raccontando all'altro una storia. E a poco a poco mi sono addormentata.

Alla gestione domestica ci pensa una vecchia governante che conosce Ender fin da quando era ragazzo. Non sono sicura di esserle simpatica, ma la cosa mi lascia indifferente. E poi, naturalmente, abbiamo un'eccellente cuoca, una cameriera e un autista.

Ieri mi sono fatta portare da Murat, l'autista, a Sultanahmet, al Gran Bazar. Volevo cercare un gioiello tradizionale turco da regalarmi e alla fine l'ho trovato: un bracciale in filigrana d'oro ornato di turchesi e rubini grezzi. Dopo, ho chiesto a Murat di accompagnarmi a piazza Taksim. Avevo appuntamento con Dario in una sala da tè in una via poco distante. Ora che non abito più a Beyoğlu non ci vediamo così di frequente come un tempo. La sua compagnia mi manca e gliel'ho detto. Ci siamo lasciati con la promessa di incontrarci più spesso.

Ho finito la carta da lettere e, a quanto pare, mi sono scordata di farne comprare dell'altra, quindi sono costretta a fermarmi. Ma prima, vorrei chiederti qualcosa di te.

Cosa fai? Come passi le tue giornate? Ti sei risposata? Non credere che abbia smesso di pensarti: la tua mancanza mi accompagna in ogni istante della mia vita.

Fammi avere tue notizie, tanto per cambiare un po'. Questo monologo inizia a stancarmi.

Con immutato affetto, nonostante tutto,

tua sorella

«Mi scusi, ma prima di entrare devo chiederle una cortesia: con mia sorella vorrei parlare da sola. Lei dov'è?» chiede visibilmente ansiosa Adele Conforti mentre raggiunge infine il pianerottolo. Ha una voce acuta, quasi da ragazzina. È salita su per le scale con la determinazione di un'alpinista, senza mai fermarsi, sebbene con una misurata lentezza, e non ha nemmeno il fiato corto. Deve essere più anziana di Elsa, ma la sua forma fisica è nettamente migliore, pensa Sergio. All'epoca del rogito aveva settantaquattro anni, quindi adesso deve averne almeno settantasei. Impeccabile nel suo tailleur pantalone di lino color tortora, la camicia di foggia maschile, ha una folta chioma argentea tagliata corta e non un capello fuori posto. Gli occhi sono gli stessi della sorella, ma l'espressione è più scaltra. Come se la vita le avesse dato una lezione di cui ha fatto tesoro.

Quando è suonato il citofono, con tutto quello che è successo nessuno più pensava a lei. Giovanna stava finendo di sparecchiare, insieme a Giulio ed Elena. Annamaria si era abbandonata su una sedia lamentando un fastidioso mal di schiena. Al trillo del campanello erano tutti trasaliti.

«Deve essere la sorella! La signora Conforti... Sergio, dove ti sei cacciato?» aveva urlato Giovanna già nel panico. Più che una domanda, era suonata come una richiesta d'aiuto.

«Eccomi, non c'è bisogno di gridare.»

Sergio è sbucato dal corridoio con un'aria strana. Dietro di lui Leonardo, il volto arrossato e i capelli umidi, come se si fosse appena sciacquato la faccia. Giovanna finge di non accorgersi dello sguardo sfuggente di entrambi.

«Leonardo mi ha chiesto un calmante: anche se non vuole farlo vedere è molto scosso. Gli ho dato qualche goccia di Lexotan: mi sono ricordato che ne avevamo ancora un flacone in bagno» le mormora Sergio in un orecchio, prima di rispondere al citofono.

Giovanna sa che suo marito le sta mentendo. Proprio ieri ha passato in rassegna il contenuto delle mensole e degli armadietti del bagno. Ha buttato via un bel po' di confezioni di gel dopobarba ormai vuote e vari farmaci scaduti. Anche una boccetta di Lexotan. O forse non l'ha fatto, si concede di dubitare. Ha imparato a non essere più così sicura di sé come lo era un tempo.

Non è la prima volta che Sergio le racconta una bugia, ma nonostante tutto preferisce ancora credergli. Altrimenti dovrebbe iniziare a domandarsene il perché.

«Lexotan? Sul serio?» gli ha domandato.

Ma lui non l'ha nemmeno sentita. È già sul pianerottolo ad accogliere la loro ospite.

Ora che Adele Conforti è arrivata, cosa le diranno? Sergio sembra essersi accollato il triste compito di darle la brutta notizia e Giovanna gliene è enormemente grata.

Ferma sulla soglia della cucina, la signora si guarda intorno, interdetta.

«Prego, si accomodi» interviene Giulio guidandola verso una sedia, con fare cerimonioso. Al contrario della sorella, Adele non sembra abituata a sorridere spesso: la sua espressione resta raggelante. La pelle, segnata dal tempo, è tesa intorno agli occhi truccati con un ombretto chiaro, la bocca è una sottile linea rossa. Si passa una mano tra i capelli.

«Accidenti, ne avete fatti di cambiamenti: non riconosco

più la mia vecchia casa!» esclama in tono brusco. Non si capisce, però, se questa nuova versione dell'appartamento ha la sua approvazione oppure no.

Come sempre quando è imbarazzata, Giovanna sente il bisogno febbrile di fare qualcosa, di occupare le mani.

«Posso offrirle... un caffè?» le chiede.

«Altro che caffè, forse la signora gradisce qualcosa di forte, un cognac magari...» interviene maldestramente Giulio.

Adele Conforti li guarda con stupore: perché dovrebbe aver bisogno di qualcosa di forte? Ma gli sguardi sfuggenti e preoccupati di quei giovani che le si agitano intorno paiono suggerire un brutto presentimento. Così fa un debole cenno di assenso.

Meno male che in casa ho sempre qualche bottiglia di liquore per gli ospiti, pensa Giovanna che di solito non beve superalcolici.

«Lo prendi tu, Sergio? Io non distinguo un whisky da un brandy...» gli dice sottovoce.

Lui con fare deciso afferra dallo scaffale più alto una bottiglia dall'etichetta elaborata e versa due dita di liquido ambrato in un piccolo bicchiere di cristallo. Intanto, Giovanna sta cercando qualcos'altro da offrire insieme al liquore: ci manca solo che, dopo aver dato alla signora Conforti una simile notizia, la facciano pure ubriacare! Per fortuna, ha ancora qualche cioccolatino amaro: l'ideale da accompagnare al cognac, decide confortata. Compiere gesti di cui conosce già l'effetto, perfettamente controllabili ed efficaci, le trasmette una profonda sensazione di solidità e tranquillità. La prospettiva di dimostrarsi una padrona di casa inappuntabile ha su di lei un immediato potere calmante.

«Dov'è Elsa?» Adele si guarda intorno sempre più allarmata. «Se n'è andata?» chiede.

Ormai ha realizzato che la sorella non c'è.

È arrivato il momento tanto temuto. Sergio prende uno sgabello e si siede vicino a lei. Adele è una donna piccola e minuta, mentre lui è alto e muscoloso. Anche così la sovrasta, ma almeno riesce a guardarla negli occhi. Una volta ha letto che, se devi dare una notizia dolorosa, è importante mantenere il contatto visivo con il tuo interlocutore. Serve a limitare le reazioni inconsulte, che è poi ciò che adesso teme di più. Ovvero che la signora Conforti scoppi in singhiozzi o abbia una crisi isterica. Nella sua mente sta ancora temporeggiando, ma ormai non può più rimandare.

«Sì, in un certo senso, se n'è andata... Ci ha lasciati. Per sempre.» Gli esce così, sembra quasi una battuta, e mentre la pronuncia già se ne vergogna.

La donna rimane impietrita. È sbiancata. La linea rossa delle labbra è tesa come un cavo elettrico dell'alta tensione. Ora dimostra tutti i suoi anni, forse qualcuno di più. Volta appena la testa e guarda la finestra. Come aveva fatto sua sorella. Poi prende il bicchiere di cognac con mano incerta e ne manda giù un bel sorso.

«Cosa le è successo?» chiede alla fine con una voce diversa, sottile, continuando a fissare un punto chissà dove oltre i vetri.

«Eravamo tutti qui, seduti a tavola, e all'improvviso il suo cuore ha smesso di battere.» Sergio sta cercando di scegliere con cura le parole, ma è maledettamente difficile. «Stavamo chiacchierando del più e del meno e lei fino a un momento prima rideva e scherzava con noi. Ci aveva parlato di una ricetta per cucinare le melanzane... Poi qualcuno, Annamaria mi pare, ha notato che... non respirava più.»

«Non credo si sia accorta di nulla» interviene pietosa Annamaria, che si è sentita chiamata in causa.

«Già» conferma Sergio. «A quel punto lei, la nostra amica Elena, che è medico, è subito intervenuta, ha cercato di rianimarla. Purtroppo non c'è stato più nulla da fare: il cuore si era fermato.»

«Prenda un fondente, sono deliziosi!» si intromette Giovanna porgendole la ciotola con i cioccolatini. La sensibilità non è il suo forte e tutti le lanciano delle occhiatacce. Quella codificata formula di cortesia, però, sembra avere un effetto vivificante sulla signora, che si riscuote dall'attonito stupore nel quale era sprofondata. Scarta un cioccolatino con cura e se lo porta alla bocca.

«Molto buono, grazie» risponde automaticamente, ritrovando il controllo di se stessa. «Avete chiamato un'ambulanza? È arrivata subito?» vuole sapere.

«Certo! È la prima cosa che ho fatto. Non appena Elena ha detto che non respirava e il cuore si era fermato ho immediatamente telefonato al 118 e nel giro di dieci minuti i paramedici erano già qui.»

«Per fortuna. Lei lo sa, abitiamo non lontano dall'ospedale...» aggiunge Giovanna.

«E avevano tutte le attrezzature necessarie per rianimarla» precisa Sergio.

«A volte, bastano cinque minuti di troppo per fare la differenza...» osserva gelida la donna.

Elena le spiega di nuovo come sono andate le cose: le sue conoscenze le consentono di entrare maggiormente nei dettagli, usa termini tecnici e altisonanti che sembra facciano colpo su Adele che, sebbene scossa, pare leggermente sollevata. Elena è un medico, è abituata a parlare ai familiari dei pazienti. Sa come comunicare le brutte notizie.

«Sua sorella poco prima di morire ha chiesto un bicchiere d'acqua per prendere una medicina. Credo fosse malata» conclude.

«Capisco.»

«Però le posso assicurare che negli ultimi istanti della sua vita non ha dato a nessuno di noi l'idea di essere una persona sofferente. Ogni tanto pareva un po' confusa, è vero, ma per il resto era allegra, vivace e...» interviene Sergio.

«E dove l'hanno portata?» lo interrompe Adele.

«All'obitorio dell'ospedale Fatebenefratelli all'Isola Tiberina. Se vuole ce l'accompagno.»

«No, non si scomodi. Non la voglio vedere...»

Tutti la fissano increduli.

«Guardi che essendo la sua più diretta parente, prima o poi dovrà comunque andare: la polizia la cercherà. Immagino dovrà anche ritirare gli effetti personali. Sua sorella aveva con sé una borsa» osserva pratica Elena.

«Non intendevo dire che non la voglio vedere mai più» Adele cerca di spiegarsi. «Sono venuta qui apposta! Per vederla viva, però...» La voce le manca. All'improvviso ha gli occhi rossi. Prende un candido fazzoletto dalla borsa e si soffia ripetutamente il naso. «Già sapere che lei era qui, a Roma, nella mia vecchia casa, e che l'avrei reincontrata, è stato sconvolgente. Ma l'idea di vederla da morta... Non credo di essere abbastanza forte. Non ora. Non da sola. Aspetterò mio figlio. Oggi è via, ma tornerà domani: gli chiederò di accompagnarmi.»

«Ma certo, non deve giustificarsi con noi. Ci mancherebbe» osserva Sergio.

Adele beve un altro sorso di cognac. Il suo sguardo indugia sul bicchiere quasi vuoto, sembra vi stia cercando qualcosa, forse il coraggio.

«Voi non potete capire come mi sono sentita quando mi avete telefonato per dirmi che lei era qui. È stato... È stato... È stato come se si fosse aperta una botola sopra la mia testa e l'intero passato, che avevo nascosto in soffitta, mi fosse caduto addosso.»

Continua a fissare il bicchiere, ed è come se contemplasse un mucchio di macerie. Non è chiaro con chi stia parlando. Probabilmente a se stessa.

«Elsa era andata via. È successo molto tempo fa, sono passati tanti anni. Ricordo a stento il suo viso, un viso che oggi sarebbe stato comunque del tutto diverso... E che ora non c'è più.» Dopo una lunga pausa nella quale nessuno fiata, riprende a parlare. «Sapevo che viveva a Istanbul, ma nient'altro. Per me è stato un bene. Non sapere più nulla, voglio dire. Altrimenti, ora sarebbe peggio. Molto peggio. Una volta eravamo inseparabili, poi le cose sono cambiate. Abbiamo fatto scelte diverse.»

Tace e i suoi occhi inquieti vagano per la stanza prima di venire di nuovo risucchiati dalla finestra.

«Proprio lì...» mormora parlando tra sé e sé. «È lì che il mondo mi è crollato davanti agli occhi. Da allora vivo in apnea, come se mi mancasse l'aria...»

Vorrebbe dire di più, ma qualcosa, forse le strette maglie di una rigida educazione – mai lasciarsi andare con gli estranei – la frena. Da chissà quanto una marea di forti emozioni preme per uscire, ma lei la ricaccia indietro aiutandosi con un sorso di cognac. L'imperturbabilità della donna, che Sergio e Giovanna hanno conosciuto durante la compravendita della casa, adesso pare solo una maschera.

Lo squillo di una notifica scioglie la tensione. Annamaria, Leonardo, Elena e Giulio istintivamente guardano i rispettivi cellulari. È Elena ad aver ricevuto un messaggio, ma non risponde. Richiamata alla realtà, Adele Conforti guarda l'orologio.

«La mia presenza qui non ha più alcun senso. Meglio che me ne vada» dice, facendo per alzarsi.

«Non abbia fretta. Lei ha vissuto un trauma da non sottovalutare. Si fermi ancora un po'» la invita Sergio.

«Penso anch'io che farebbe bene ad aspettare prima di rimettersi in viaggio. E glielo dico da medico» insiste Elena.

«Questa è casa sua, dopotutto» la incoraggia Giovanna.

«Ed è tra amici!» aggiunge Giulio.

«Sua sorella purtroppo l'abbiamo conosciuta appena, ma ci è parsa una persona davvero speciale. Era evidente che le fosse molto attaccata. Ed era davvero ansiosa di incontrarla. Tutti questi anni di silenzio fra voi... Perché?» chiede Annamaria.

È la più sincera. Tutti fremono dalla curiosità di conoscere la storia di queste due sorelle così diverse, eppure indubbiamente legate da eventi che hanno segnato in modo irreversibile le loro esistenze, ma solo Annamaria ha la spudoratezza di dirlo. È come se portare una vita dentro di sé la rendesse coraggiosa. Ed è con un pizzico di incoscienza, quindi, che ha espresso una curiosità che gli altri si limitano a formulare con il pensiero. Ora che Annamaria ha infranto quel velo di reticenza, però, anche loro escono allo scoperto.

«Già, perché? Cosa è successo in questa casa? Perché è così, vero?» interviene Giovanna. «Questa casa – la nostra casa – ha avuto un ruolo importante nel vostro allontanamento. Mi sbaglio?»

«La nostra casa» ripete sottovoce Sergio. Anche lui inizia a sospettare che il loro appartamento sia stato teatro di qualcosa di terribile, tanti anni prima. Ma se fosse davvero così, loro due hanno il diritto di sapere. Si sente chiamato dentro una storia di cui ignora tutto, e non gli piace affatto. Dopo quello che è successo, la signora Conforti è tenuta perlomeno a fornirgli una spiegazione. È il minimo che possa fare.

«No, devo andare. È un fatto privato» dichiara la donna alzandosi bruscamente. Prende la borsa e si avvia verso la porta, ma poi si blocca. Il suo sguardo indugia sul tavolo dove sono rimaste le lettere che le aveva spedito Elsa. Dopo un istante d'incertezza, si volta lentamente verso di loro. «D'accordo, vi racconterò la nostra storia» si arrende Adele, tornando a sedersi. «Ma prima dovete farmi una promessa.»

Tutti la guardano incuriositi, e lei se ne compiace.

«Nulla di quello che vi dirò dovrà uscire da questa casa.»

Cara Adele,

non so nemmeno perché torno a scriverti. Forse lo faccio per me stessa. Il tuo silenzio mi ferisce, ma non mi ferma. Non so se leggerai queste mie parole, ma mentre le scrivo è come se tu già le ascoltassi. È una sensazione che non so spiegarti, ma tanto non serve, perché sei l'unica persona che mi può capire. In questo momento siamo di nuovo sole, tu e io, nel nostro posto segreto all'ombra del cespuglio di alloro. Io parlo a bassa voce, ti racconto un sogno che in realtà non ho mai fatto. Lo sto inventando per farti felice, e tu spalanchi gli occhi e mi chiedi: «E poi? E poi, cos'è successo?».

Ma questo accadeva una vita fa.

Ora sono tante le cose che ho da raccontarti, non ho bisogno di inventarne nessuna. E questa notte ti ho sognata davvero. Eravamo sul molo che si protende nell'acqua infida del Bosforo, davanti alla villa di Bebek. Indossavamo gli stessi abiti dell'ultima volta che siamo state insieme e camminavamo a piedi scalzi dandoci la mano. Poi tu hai lasciato la presa, hai fatto due passi verso l'orlo del pontile e ti sei tuffata. Io sono rimasta impietrita. Volevo avvertirti che era una pazzia, ma non riuscivo a parlare. La mia bocca era spalancata, eppure non emetteva alcun suono. In quel punto la corrente è molto forte e il vestito ti ostacolava i movimenti, però tu continuavi a sbracciarti come se volessi raggiungere la riva opposta a nuoto, finché all'improvviso sei scomparsa. Solo allora mi è tornata la voce e mi sono messa a urlare. Così mi sono svegliata. L'orologio sul comodino indicava le sette e mezzo del mattino.

È successo tre ore fa, ma la sensazione di orrore che ho provato nel sonno non mi è ancora passata. Ha radici antiche, non è facile liberarsene. È il dolore della separazione che torna a straziarmi l'anima non appena abbasso le difese, trasformando i miei sogni in incubi senza scampo. Lo stesso dolore che, non appena riapro gli occhi, mi illude di averti di nuovo accanto. Dove sei? Me lo chiedo con l'angoscia di chi non può accettare l'abbandono. Ti cerco per la stanza, e mi pare quasi di vederti. Nella spazzola vicino allo specchio, nel cucchiaino con tracce di rossetto dimenticato sul comodino, nel libro lasciato aperto su una poesia d'amore, nel mio profumo preferito, che era anche il tuo.

Ho fatto colazione con tè alla turca molto forte, pane, feta, olive e miele. Più tardi andrò in centro per qualche commissione. Così la vita continua e la luce del giorno seppellisce le paure e i fantasmi della notte.

Questo pomeriggio verrà a prendermi Kemal, un amico. Ha una decappottabile americana rosso fiamma, una Chevrolet Corvette Stingray. Ne so il nome solo perché lui non fa che vantarsene. È la sua debolezza. Però ti confesso che scorrazzare su quel bolide vistoso piace anche a me. A volte ce ne andiamo a zonzo senza una meta con il vento che ci scompiglia i capelli. Non ce lo siamo mai detti, ma io so che entrambi godiamo degli sguardi ammirati e invidiosi dei passanti. In queste occasioni sfoggio grandi occhiali da sole e un cappello a tesa larga trattenuto da una sciarpa colorata e fingo di essere una diva di Hollywood.

Ti starai chiedendo dove sia finito mio marito. Be', è semplice: Ender e io circa sei mesi fa abbiamo divorziato. Era inevitabile. Per un anno le cose tra noi non sono andate affatto male, ma poi lui ha iniziato a essere geloso, a fare scenate. In verità, ti devo confessare che fin dall'inizio me la sentivo che non sarebbe durata. Non era l'uomo per me. A volte penso che nessun uomo sarà più quello giusto. *Trovare il vero amore è una fortuna che ti capita una sola volta nella vita. E spesso, non è nemmeno una fortuna, ma una maledizione. Tu sai di cosa parlo. Una irresistibile maledizione.*

Non che Ender fosse un cattivo marito. Finché era in viaggio quasi tutto il tempo, avrei anche potuto sopportarlo, ma poi ha cominciato a diradare le partenze, a imporre la presenza della madre e della sorella nubile a casa nostra, a pretendere che gli dessi un figlio.

Non so come sia riuscito a crearsi la fama di avventuriero gaudente e liberale. Nella quotidianità si è rivelato un uomo piuttosto prevedibile, tradizionale e abitudinario. Una noia mortale. Dopo quasi due anni con lui, un anno e otto mesi a voler essere precisa, sono arrivata al punto di saturazione: non avrei sopportato un giorno di più. Ho fatto la valigia e me ne sono andata. Sono una specialista in questo, ormai.

La parte più difficile è stata abbandonare la villa di Bebek, il giardino che ho tanto amato, le terrazze sull'acqua scintillante del Bosforo. Ma Ender non mi ha lasciato scelta. Quanto alle malelingue che insinuano che mi avrebbe cacciato lui, sono solo volgari menzogne. Mio marito mi ha pregato in ginocchio di restare. Non avrei chiesto di meglio se se ne fosse andato lui, ma purtroppo questa opzione non era in gioco. La villa era intestata a lui, ogni cosa, gli arredi, le auto, i soldi erano suoi. Ender è un grasso ragno peloso che custodisce il proprio tesoro al centro di una spessa ragnatela. E comunque, a dispetto dei miei iniziali timori, alla fine ha saputo essere perfino generoso. Sono una donna libera, ora. Libera, benestante e desiderosa di divertirsi.

Ho preso una camera al Büyük Londra Hotel, a Tepebaşi, non lontano da piazza Taksim. È una sistemazione temporanea, ma si adatta perfettamente al mio umore. Mi sento come un marinaio rimasto troppo a lungo fermo nello stesso porto: finalmente mi sono rimessa in viaggio.

Oggi Kemal mi porterà nella yalı *di famiglia. Sono antiche case ottomane di legno, costruite a pelo d'acqua lungo il Bosforo, che nel tempo hanno mantenuto intatto il loro fascino. Come gli ha-*

mam, sai, i bagni turchi, la versione bizantina delle terme roma-
ne. È una tradizione antichissima che è sopravvissuta nei secoli,
sebbene ultimamente si stia un po' perdendo. Per i musulmani
la pulizia è fondamentale e i fedeli prima di pregare si purificano.
Gli hamam che preferisco sono quelli di quartiere, piccoli e na-
scosti. In passato, quando la maggior parte delle case era sprov-
vista di acqua corrente e servizi igienici, erano molto frequenta-
ti. Avevano una funzione sociale: ci si dava appuntamento, e ci si
mangiava pure. Adesso sono per lo più in abbandono. Una volta,
per caso, mi sono imbattuta in uno ancora funzionante. Sono en-
trata per dare un'occhiata, ma doveva essere l'ingresso degli uo-
mini e un vecchio mi ha invitato severamente a uscire. Ho fatto
appena in tempo a intravedere un angolo del vestibolo, oltre l'a-
trio. Una fontanella di pietra zampillava al centro della stanza.

La yalı di Kemal deve essere stupenda. Si trova a Kanlıca, sul-
la riva asiatica del Bosforo. Resteremo il fine settimana e maga-
ri anche un po' più a lungo. Non vedo l'ora di togliermi dall'afa
che mi opprime da giorni: rispetto alla città, sul Bosforo il clima
è sempre più fresco e ventilato, una delizia.

Ecco, ero partita maldisposta, ma scriverti mi ha risollevata.
Hai fatto bene a venirmi a trovare in sogno, sebbene – devi am-
metterlo -- tu abbia scelto un modo parecchio inquietante. Se non
mi fossi comparsa all'improvviso, non ti avrei evocata così in-
tensamente. Mi sarei svegliata con il solito malinconico pensie-
ro della tua assenza a farmi compagnia. La mia giornata sareb-
be stata più triste.

Prima, quasi mi è parso di sentire la tua voce chiamarmi dal
corridoio dell'albergo: ho aperto la porta con il cuore in gola, ma
erano solo due amiche che andavano verso l'ascensore. Per folle
che ti possa sembrare, non sono rimasta delusa. Per me si è trat-
tato comunque di un segno. Un segno della tua presenza.

Ti prometto che non lascerò più passare così tanto tempo pri-
ma di farti avere mie notizie. Ma anche tu, fammi sapere di te.

Tua sorella

«Quando eravamo bambine, mia madre aveva la mania di vestirci uguali. Era un'usanza diffusa, che lei adottava con fanatico fervore. Gli stessi abiti a fiori con il nido d'ape, le camicette ricamate, gli scamiciati pied-de-poule, i calzettoni bianchi, le scarpette di vernice con il cinturino... Anche i capelli ce li faceva tagliare nel medesimo modo, lunghi alle spalle e con la frangetta, sebbene i miei tendessero ad arricciarsi, mentre quelli di Elsa le cadevano dritti come fili di seta. Entrambe soffrivamo quel costante annullamento delle nostre identità. Era come indossare una divisa. E noi non avevamo bisogno di vederci così simili per sapere di essere legate da un sentimento profondo.

Fatto sta che tutti ci prendevano per gemelle. Avevamo perfino la stessa statura: io ero maggiore di due anni, ma Elsa presto mi aveva raggiunta. C'è una foto in cui siamo in posa davanti a un cespuglio di rose in giardino. Indossiamo dei vestitini estivi, ovviamente identici, con la gonna ornata da un volant e le maniche a sbuffo. Ci teniamo per mano guardando dritte verso l'obiettivo, le bocche tirate in un'espressione molto seria: la mamma non voleva che ridessimo, considerava peccato ogni manifestazione di felicità. Però in quell'immagine ci brillano gli occhi. Dietro la macchina fotografica c'era nostro padre. Lo adoravamo.»

Adele Conforti tace fissando il disegno del tappeto. Sembra persa nel suo ricordo. Si sono appena spostati in sala, Sergio l'ha fatta accomodare nella sua poltrona preferita, la più comoda, e tutti le si sono seduti intorno, chi sul divano, chi su una sedia, chi per terra appoggiato su un cuscino. Ora pendono dalle sue labbra, ma lei non pare accorgersene. Si passa ancora una volta la mano tra i capelli, contempla l'anello che porta al mignolo. Sta prendendo tempo. Dentro di sé mille dubbi la confondono. Davvero vuole rivelare il proprio segreto a queste persone, a dei veri sconosciuti? Fino a che punto potrà spingersi nel raccontare una verità che da cinquant'anni cerca di nascondere perfino a se stessa?

Suona un cellulare. È quello di Giulio.

«Ciao mamma, no, siamo ancora da Sergio e Giovanna... d'accordo. Sì, però ora devo lasciarti perché sono impegnato. Non posso parlare... poi ti racconto.» Giulio chiude la telefonata. È imbarazzato. «Mi scusi, era mia madre. Non sta bene di testa e mi chiama di continuo, ma ora ho messo il telefono in modalità silenziosa, non ci disturberà più» si affretta a giustificarsi. Sorride a Adele tradendo un po' di apprensione. Anche lei è una persona non più giovanissima, non si sarà offesa? Spera di non aver interrotto il suo flusso di ricordi. La donna, però, ricambia il suo sorriso: in Giulio coglie un riguardo che la invita a continuare. Una gentilezza che non giudica, ma ascolta.

«Abitavamo in provincia, appena fuori Viterbo. Papà era istruttore militare alla Scuola sottufficiali. Con i suoi allievi usava il pugno di ferro, ma in famiglia era dolcissimo. Persino troppo: il carattere inflessibile di mia madre lo schiacciava. Forse anche per questo era spesso assente, lasciandoci totalmente in balìa di quella donna ombrosa e irrequieta, con la quale nel tempo aveva scoperto di non aver nulla da spartire eccetto noi.

Alta e ossuta, il naso dritto sul volto scavato, la mamma

era severa al limite della crudeltà. Riusciva a esercitare su chiunque un'influenza nefasta. Anche su se stessa, visto che periodicamente soffriva di atroci emicranie. Le crisi potevano arrivare in qualsiasi momento. Allora si chiudeva in camera sua – i nostri genitori dormivano in stanze separate – sdraiata sul letto, al buio. Se già in condizioni normali era ipersensibile ai rumori, in quei momenti, che potevano durare giorni, non voleva sentire volare una mosca. L'eco di una risata, lo scricchiolio delle scale, il lieve tonfo di un cassetto che si chiudeva le risultavano intollerabili. Allora Elsa e io ci rintanavamo il più lontano possibile da lei, camminavamo scalze, comunicavamo tra noi con il linguaggio dei segni o sussurrandoci piano all'orecchio. Vivevamo nel costante timore che lei potesse sentirci. Non so quanto quei mal di testa devastanti fossero reali o frutto della sua infelicità. Mia madre aveva escluso la gioia dalla sua vita e, di conseguenza, anche dalla nostra.

Elsa e io apprendemmo presto che l'unico modo per sopravvivere era darci l'un l'altra conforto. L'amore che non trovavamo in famiglia lo cercavamo nei giochi che inventavamo, nelle storie che ci raccontavamo. Avevamo un nostro luogo segreto, in giardino, nascosto dietro una grande siepe di alloro. Nella bella stagione ci rifugiavamo là e potevamo trascorrerci ore e ore. Tanto, nessuno ci veniva a cercare. Se non ci aveva intorno, la mamma era solo sollevata. Non le importava dove fossimo, purché non la infastidissimo con le nostre chiacchiere importune.

Un giorno eravamo come al solito nascoste tra le foglie d'alloro della siepe che limitava il nostro giardino, impegnate a riempire di terra un piattino per nutrire le bambole, quando Elsa si bloccò come quando le veniva in mente una delle sue idee geniali.

"Facciamo un patto!" mi propose.

"Che patto?" chiesi distrattamente. Stavo cercando di catturare una farfalla gialla che si era infilata dietro una foglia.

"Che non ci separeremo mai per tutta la vita. E che ci vorremo bene. Sempre" rispose seria con un filo di voce.»

«E invece, poi non vi siete più viste per cinquant'anni! Com'è potuto accadere?» mormora Annamaria.

Tutti si voltano a guardarla.

«Cara, la tua osservazione è più che giusta» osserva Adele. «Sei ancora giovane, non sai che la vita a volte sembra prenderci gusto a smentire le nostre più salde promesse. E quel pomeriggio, credimi, mia sorella e io eravamo convinte che davvero saremmo state sempre insieme. Ci siamo strette la mano al contrario due volte, un piccolo rito inventato da noi, lì nel folto della siepe. Ci sentivamo due piccole guerriere coinvolte in una missione segreta. Avevamo dieci e dodici anni, la vita ci sembrava un gioco. E comunque, per molto tempo il nostro patto funzionò rendendoci più forti, finché non venne messo alla prova.

Gli anni passarono, da bambine diventammo fanciulle e poi giovani donne e il legame che ci univa era più vivo che mai. Le emicranie della mamma peggiorarono insieme alla sua cupezza, mentre la presenza di mio padre si faceva sempre più invisibile, ma noi continuavamo a esserci l'una per l'altra. Però nessuno ci prendeva più per gemelle: le nostre personalità stavano sbocciando. Tanto Elsa era idealista, con mille idee e progetti per la testa, ma allo stesso tempo timida e insicura in pubblico, tanto io ero concreta, estroversa, determinata a ottenere il meglio dalla vita.

A vent'anni scoprii ciò che a quei tempi poteva cambiare il destino di una donna, facendo la sua fortuna. O la sua disgrazia. All'improvviso, ero diventata bella. Gli uomini mi guardavano. Mi desideravano. Avevo uno strano, eccitante potere su di loro. Non che Elsa non fosse bella, anzi. Ma al contrario di me, lei ancora non lo sapeva. Con il senno di poi, credo che fu questo a provocare la prima crepa nel castello che ci eravamo costruite.

Fedele alla sua propensione alla sofferenza, nostra madre conduceva una vita ritirata. Invece mio padre, che nel frattempo aveva fatto carriera all'interno della Scuola sottufficiali, era invitato spesso a eventi pubblici e feste. Così, quando Elsa e io fummo abbastanza grandi, il ruolo di accompagnatrici ufficiali di papà passò a noi. Finalmente avevamo l'occasione di abbandonare l'atmosfera tetra che si respirava tra le pareti domestiche per immergerci in quel clima disteso, fatto di innocenti pettegolezzi, bibite, pasticcini, musica e balli di coppia (a distanza di sicurezza e sotto la rigida sorveglianza degli adulti). Non appena uscivamo di casa, anche nostro padre sembrava rinascere. All'inizio la mamma aveva provato a impedirci di andare alle feste, che giudicava peccaminose. Ma poiché, tutto sommato, grazie a noi si era liberata in modo definitivo della preoccupazione di doverci andare lei, alla fine si arrese. Naturalmente fu necessario provvedere al rinnovo del guardaroba, per non sfigurare in società: Elsa e io ci industriammo copiando, con l'aiuto di una brava sartina, alcuni abiti fotografati sulle riviste di moda.

Ora eravamo indiscutibilmente diverse, ma sempre inseparabili. Che fosse per andare a un ricevimento o, semplicemente, a prendere un gelato in piazza, uscivamo comunque insieme. La gente si era così abituata a vederci arrivare in coppia che ci considerava quasi una cosa unica. Ci chiamavano "le Sorelle Belle". Non avevamo amiche, ci bastavamo noi due. In compenso, eravamo piene di corteggiatori. Io avevo già ricevuto un paio di proposte di matrimonio, una da un vedovo un po' troppo anziano per i miei gusti, l'altra da un allievo di mio padre, da lui giudicato non al mio livello. Anche Elsa era stata chiesta in moglie da un giovane collega di papà, un uomo taciturno con il volto rovinato dalle cicatrici di un'acne devastante. La sua proposta riempì Elsa di orrore, ma quando fu chiaro che non sarebbe stata presa sul serio nemmeno da mio padre, ne ridemmo insieme perfidamente. Il tempo passava, e noi eravamo ogni giorno più belle e desiderabili. Avevamo la sensazione che il mondo intero fosse ai nostri piedi.

Papà venne promosso comandante e i suoi impegni nell'esercito crebbero. Spesso andava a Roma e non riusciva più a partecipare come prima agli eventi mondani di provincia. Noi, però, continuavamo la nostra vita di sempre. Ad accompagnarci ora ci pensava zia Giustina, in realtà una cugina nubile di nostro padre, che era venuta a vivere da noi. Piccola e sferica come una matrioska, era interessata più che altro a rimpinzarsi di dolci, di cui era golosissima. La chaperon ideale: distratta, ingenua e del tutto inoffensiva.

Un tardo pomeriggio di fine agosto, scortate da zia Giustina ci recammo a una festa nella villa di una delle famiglie più importanti di Viterbo. Il padrone di casa, un notaio molto in vista, era il padre di una nostra ex compagna di scuola. La figlia minore compiva diciotto anni e i genitori avevano deciso di festeggiarla in modo grandioso. Anche Elsa, che di solito riservava agli eventi mondani un tiepido interesse, era eccitatissima. Quanto a me, uscivo da una brutta bronchite che mi aveva tenuta a casa per tre intere settimane, rinunciando a ben due inviti – in via del tutto eccezionale mia sorella vi aveva partecipato da sola con la zia –, quindi l'idea di uscire da quel forzato isolamento mi riempiva di gioia.

Il ricevimento si svolgeva nel parco della villa, sotto un padiglione decorato da candide tende e variopinte composizioni floreali. Un'orchestrina accoglieva gli ospiti suonando dei valzer. Piccole lanterne gialle erano state appese qui e là sui rami bassi degli alberi. Era tutto terribilmente suggestivo.»

Adele tace, sopraffatta dalla bellezza di quel ricordo. Lo sguardo è sognante. Nei suoi occhi grigi, appena velati dall'età, sembra danzare una fiamma agitata dal vento. Una piccola fiamma dentro una lanterna gialla.

«Che meraviglia! Mi sembra di esserci anch'io, a quella

festa!» esclama estatica Annamaria cambiando posizione sul divano con una smorfia sofferente. Il bambino si sta muovendo schiacciandole un punto a quanto pare molto doloroso.

«Vuoi che ti faccia un massaggio?» si offre Giulio, che le siede accanto.

«Ma no, guarda, mi sta già passando. Bastava appoggiarsi meglio al cuscino.»

Annamaria getta una veloce occhiata a Leonardo, che se ne sta stravaccato sull'altro lato del sofà, apparentemente immerso nei propri pensieri. A Giovanna non sfugge l'ombra di imbarazzo che le arrossa lievemente le guance. O, magari, è semplicemente in balìa di una di quelle tempeste ormonali tipiche della gravidanza?

«Che anni erano?» chiede Giovanna, interrompendo le sue elucubrazioni su quanto ha visto o crede di aver visto.

«Era l'estate del 1967, mia cara» risponde Adele. «Il 29 agosto 1967. Una data che porterò per sempre incisa a fuoco nel cuore. Nonostante tutto.»

L'espressione della donna si è fatta cupa. Le fiamme nei suoi occhi si sono spente. Tutti vorrebbero chiederle cosa sia mai successo di così fatale quel giorno, ma nessuno apre bocca. Tanto, presto sarà lei stessa a rivelarlo.

«Io avevo venticinque anni, Elsa ventitré. Eravamo meravigliosamente giovani e piene di aspettative. Per quel party ci preparavamo da giorni: sarebbe stato l'evento clou della stagione. Eravamo elegantissime. Io indossavo un abito in chiffon rosa antico, quello di Elsa era bianco con piccoli fiori azzurri ricamati. Al nostro passaggio tutti, uomini e donne, si voltavano per ammirarci. Avevamo appena fatto il nostro ingresso quando un uomo alto, bruno, dagli occhi magnetici e dalla fronte ampia solcata da una leggera ruga, ci era venuto incontro.»

Adele s'interrompe per qualche istante, sta osservando Leonardo.

«Ecco, tu me lo ricordi. Come hai detto che ti chiami?»

«Leonardo.»

«Sì, Leonardo: c'è qualcosa nei tuoi occhi e nella linea della mascella che mi fa pensare a lui. Del resto, era il tipo che si faceva notare. Spiccava in mezzo alla folla di invitati come se emanasse una luce speciale. Scoprii presto che Elsa lo aveva conosciuto la settimana prima al concerto cui io, a causa della mia indisposizione, avevo dovuto rinunciare. Si presentò: si chiamava Vittorio De Pascale, era un avvocato. Aveva occhi nerissimi, che ardevano di una luce misteriosa, il naso era leggermente aquilino, la bocca sensuale, i denti bianchissimi. Alto e slanciato, sotto la giacca estiva indossava una camicia aderente che lasciava intuire un corpo asciutto e muscoloso. Era l'uomo più attraente che avessi mai incontrato.

Vittorio abitava a Roma, ma sua zia aveva una casa di campagna nelle vicinanze ed era un amico di famiglia dei nostri ospiti.

"Sua sorella mi ha parlato molto di lei. E sapesse le cose che mi ha raccontato..." disse ammiccando, mentre mi abbagliava con un sorriso maledettamente sfrontato e seducente.

Leggendo nel mio sguardo un certo sgomento, subito aggiunse: "Tranquilla, solo cose belle".

Non scorderò mai quel momento. Ebbi la sensazione che i suoi occhi mi trafiggessero e mi sentii arrossire come se quell'uomo potesse vedermi nuda.

La sua mano era grande e forte. Mentre stringeva la mia avvertii un brivido sconosciuto. Non sapevo ancora nulla dell'amore. Non sapevo quanto poteva essere dolce, e spietato allo stesso tempo.

Vittorio si allontanò per prenderci da bere e quando tornò diventammo inseparabili. All'improvviso, non esisteva più nessun altro al di fuori di noi due. Elsa con la sua bibita in mano, che cercava goffamente di partecipare alla conversazione, gli invitati, la musica, le lanterne, i fiori: ogni cosa e persona era sparita. Eravamo gli unici abitanti del pianeta.

Poi il padrone di casa si avvicinò e prese a parlargli di una questione legale. Vittorio era seccato da questa interruzione e a stento lo nascose. Era evidente che preferiva la mia compagnia. Mentre cercava di liberarsene con diplomazia, io rimasi al suo fianco in totale adorazione. All'improvviso desideravo quell'uomo con tutta me stessa. Così quando mi strinse a sé per farmi ballare, ubriaca dell'odore del suo corpo, restai senza fiato e mi abbandonai tra le sue braccia. Il resto della serata me lo ricordo come un sogno: gli parlavo, lo ascoltavo, ridevo come una sciocca qualsiasi cosa dicesse. Gli raccontavo segreti che inventavo lì per lì apposta per lui, con l'idea di apparire più interessante. Il cuore non mi apparteneva più. Era già un corpo estraneo, ormai batteva solo per Vittorio. Avvertii come una fitta all'altezza dello sterno: persa nei suoi occhi ipnotici come quelli di un serpente, ebbi quasi la sensazione che mi stesse divorando viva.»

Tace e la sua voce resta sospesa nell'aria. Il volto è come trasfigurato. Per un attimo le rughe sembrano scomparse lasciando intravvedere il viso di una ragazza innamorata. O almeno, è questa l'impressione che hanno i sei amici mentre la guardano ipnotizzati con la stessa intensità con cui si fissa una fiamma danzare nel buio finché non sembra spegnersi. Ma poi, con un guizzo, si riaccende.

Istanbul, 15-16 settembre 1973

Cara Adele,

sono tornata da pochi giorni alla mia vita cittadina e, fedele alla mia promessa, eccomi già qui con la penna in mano, pronta a raccontarti le ultime novità. Il soggiorno nella yalı di Kemal a Kanlıca, che doveva durare poco più di un fine settimana, si è protratto per oltre un mese! Ogni sera, prima di addormentarci cullati dai cigolii di assestamento dei pavimenti di legno e dallo sciabordio dell'acqua contro il pontile, ci ripetevamo che era tempo di rientrare nelle nostre abitazioni. Gli amici ci avrebbero dato per dispersi. Nessuno sapeva che eravamo insieme, ma non avrebbero tardato a collegare la sua sparizione alla mia. Il che sarebbe stato imbarazzante, se non addirittura scandaloso. Kemal è fidanzato ufficialmente con Sevgi, una ragazza che studia arte a Parigi e che quest'estate è rimasta in Francia per prepararsi agli esami finali. Il matrimonio non è stato ancora annunciato, ma dovrebbero sposarsi la prossima primavera.

Al mattino, però, con il sorgere del sole le nostre preoccupazioni si dissolvevano puntualmente. L'aria salmastra profumata di fiori tardivi, la brezza che increspava le acque, i gabbiani che volavano tracciando ampi cerchi nel cielo, il sole già alto che prometteva un'altra bella giornata, tutto ci invitava a restare.

Ma le cose belle non durano per sempre, quindi rieccomi qui, ospite fissa al Büyük Londra Hotel.

Anche se non lo saprà mai, Sevgi dovrebbe essermi profondamente grata: in questo mese Kemal ha colmato in modo magnifico le sue imperdonabili lacune e adesso è del tutto in grado di soddisfare una donna. Sì, ora la renderà felice. L'amore può anche essere un nobile sentimento, ma se vuoi conoscere la passione, devi sporcarti. Immergerti nel fango, assaporare il gusto del peccato, osare il proibito. E anche tradire.

Mentre tornavamo verso il centro di Istanbul con la sua vistosa Corvette, Kemal non faceva che ripetermi che mi amava. Era pronto a rompere con Sevgi e a fidanzarsi con me, affrontando per amor mio la sua famiglia, che è assai tradizionale. Di solito, ha la guida spericolata di un pilota di rally, questa volta, invece, ha fatto tutto il viaggio alla velocità di una lumaca, e più ci avvicinavamo a piazza Taksim e al Büyük Londra Hotel dove ci saremmo salutati, più l'auto e il tempo stesso sembravano rallentare, come se una forza contraria alla nostra separazione stesse facendo l'impossibile per aiutarlo a indurmi a cambiare idea prima di salutarci. Ma non c'è riuscito.

È un bravo ragazzo, ma perché dovrei infilarmi in un'altra relazione, un altro fidanzamento, un altro matrimonio? Ho da poco acquistato la libertà, e il prezzo non è stato indifferente. Non ci rinuncerò. Non tanto presto, almeno. Che si sposi, io diventerò la sua amante, gli ho detto per consolarlo. In verità, non mi è parso sollevato. Forse sa che in ogni caso non gli sarei fedele: è il genere di promessa che, per principio, ho deciso di smettere di fare. Comunque Kemal non me l'ha chiesto e io mi sono ben guardata dal toccare l'argomento.

Mentre ti sto scrivendo mi rendo conto che sei l'unica persona al mondo cui confido certe cose. Con Dario non posso essere così sincera ed esplicita. Quanto alle amiche donne, la verità è che non ne ho. E non ne ho mai avute, nemmeno da bambina. A cosa mi sarebbero servite, quando avevo te? Ricordi quanto eravamo inseparabili prima che tutto cominciasse? Sembrava esistessimo solo noi due al mondo, e niente ci avrebbe divise.

Stasera andrò al vernissage della mostra di un amico pittore.

È un artista meraviglioso, un poeta dei colori. Mi piacerebbe acquistare una sua opera: se i prezzi non saranno esagerati, magari ci penserò su. La galleria si trova nel quartiere di Nişantaşı, non lontano dal mio albergo. Lì dovrebbe raggiungermi Dario: il piano è farci un giro per la mostra e poi cenare assieme. È da prima dell'estate che non lo vedo. Al telefono mi ha preannunciato una novità esplosiva, muoio dalla voglia di scoprire di cosa si tratta. Che si sia innamorato? La curiosità mi divora.

Per il momento mi fermo qui. Domani riprenderò a scriverti.

È quasi l'una del mattino, ma non ho sonno. Sono troppo agitata per andare a dormire. Rientrata in albergo mi sono spogliata, ho indossato la camicia da notte, ho bevuto un bicchiere d'acqua fresca e mi sono chiesta se non sia venuto il momento di tornare a Roma. Così mi è venuto naturale riprendere a scriverti. Chi meglio di te può ascoltare il mio tormento? In tutti questi anni non ho mai provato un solo attimo di nostalgia. Mai. Fino a questa sera. Fino a quando Dario, raggiante come non l'ho mai visto, mi ha annunciato che a fine mese si conclude il suo incarico a Istanbul e rientra a Roma. A gennaio andrà a New York come viceconsole. Per lui significa un'occasione imperdibile di carriera. Ecco la novità esplosiva. Solo una stupida romantica come me poteva pensare all'amore!

La nostalgia si è esaurita, forse non c'è mai stata. In realtà, non ho nessuna voglia di tornare in Italia. È pura amarezza ciò che provo. Quell'amarezza che ti spinge a rinunciare a tutte le cose belle per cui hai lottato, perché hai la sensazione che tanto le perderesti comunque. Qualcuno lo chiama autolesionismo.

Sì, sono ferita. Mi sento tradita, abbandonata. Tu sai cosa significa. È così difficile affezionarsi alle persone, e quando succede, ecco che se ne vanno.

Per Dario è un'opportunità, ovvio che ne sia felice. Questo lo capisco. E poi, fa parte del suo lavoro spostarsi qua e là nel mondo. Però avrebbe potuto usare più tatto nel dire a un'amica che nel giro di pochi giorni sarebbe sparito dalla sua vita. Naturalmen-

te, ha subito aggiunto che mi avrebbe scritto spesso, che appena si fosse sistemato a New York mi avrebbe invitata a raggiungerlo per una lunga vacanza di shopping tra i grandi magazzini di Manhattan, e che sarebbe tornato a Istanbul a trovarmi almeno una volta l'anno. Mentre si lanciava in queste improbabili promesse spinto dal senso di colpa, nessuno dei due credeva a una sola sua parola. È altamente improbabile che un diplomatico in carriera come lui, destinato a cambiare chissà quante altre destinazioni, città, case, trovi il tempo di coltivare i rapporti che si lascia di continuo alle spalle... Il destino, così come ci ha fatto incontrare, ora ci separa, e non ci possiamo fare nulla.

Io che non mi commuovo mai, sono scoppiata a piangere e pure lui, devo dargliene atto, aveva gli occhi rossi. Eravamo al ristorante e dai tavoli vicini ci guardavano con commiserazione. Era come quando recitavamo la parte degli innamorati litigiosi, solo che questa volta le nostre lacrime erano vere.

Per farmi sorridere mi ha annunciato che non appena l'avrei raggiunto a New York, saremmo andati insieme a cenare al Waldorf Astoria e a bere qualcosa al Plaza. Sarei stata la sua Audrey Hepburn, spudorata e ingenua al tempo stesso: un tubino nero, orecchini di brillanti e i capelli raccolti alti sulla nuca.

Anche a lui dispiace di lasciarmi, lo so. Anche lui è triste, pur nella sua felicità. Ma se non me la prendo con Dario, con chi mi posso arrabbiare?

Perdonami se ti ho annoiata dilungandomi con le mie paturnie. A volte dimentico che forse non hai nessuna voglia di sapere cosa faccio, cosa provo, come vivo.

Scusa: l'amarezza ha di nuovo preso il sopravvento. So che mi pensi anche tu, anche se non vuoi ammetterlo. Magari dirò a Dario di cercarti, quando sarà a Roma. (Mentre scrivo queste parole ne sono già pentita, ma non le cancellerò. È una questione fra te e me, non metterò in mezzo nessuno.)

Nella speranza, mai spenta, di avere tue notizie,

tua Elsa

«Ti ricordi dove ho messo i biscotti alle mandorle?»

No, Sergio non se lo ricorda. A dirla tutta, non sapeva nemmeno di averne in casa.

«Hai provato a guardare nella scatola di latta, dove li metti di solito?» le suggerisce invece.

Giovanna reprime una smorfia, anche se lui le dà le spalle e non potrebbe vederla. Sergio è così distratto, ultimamente. Sono mesi che ha buttato via quella scatola: stava iniziando ad arrugginirsi. Eppure è sicura di averglielo detto. Non era una scatola qualsiasi. L'avevano comprata in un mercatino delle pulci a Praga. Stavano insieme da poco, è stato il viaggio più romantico che abbiano mai fatto. Era un bell'oggetto vintage, rossa con decorazioni celesti e oro, le è spiaciuto separarsene, ma non ha potuto farne a meno. È allergica all'accumulo: tutto ciò che diventa inutile o inservibile finisce nella spazzatura. Marie Kondo e il suo «magico potere del riordino» non ricaverebbero alcuna soddisfazione da lei, perfino sua madre glielo dice sempre.

Cosa sta succedendo a Sergio? Un tempo non si sarebbe lasciato sfuggire alcun dettaglio della loro vita quotidiana. All'improvviso Giovanna lo vede muoversi in cucina come un estraneo. Un uomo pensoso e indifferente, che le sorride distratto sbucando da dietro lo sportello del frigo. La certezza che lui la stia tradendo la colpisce senza preavviso, inchiodandola a una realtà da cui vorrebbe solo fuggire. Sergio ha un'altra, lo sente. Ed è una pugnalata. Come è potuto succedere? Trattiene il respiro: le sembra impossibile che lui le stia facendo un simile torto. Che non gli importi del suo dolore. Ma Sergio appoggia la bottiglia di succo d'arancia sul tavolo e le si avvicina allungando una mano verso il suo viso.

«Aspetta, ti si è incastrato un orecchino» le dice. Poi le dà un bacio sulla guancia.

Che stupida, che sono, si ripete Giovanna. Che stupida! Si ritiene una donna pratica, concreta, per niente gelosa: perché si è fatta trascinare da quei cattivi pensieri? Non è da lei. Come può sospettare che suo marito abbia un'altra solo perché non ricorda che lei ha buttato via una vecchia scatola per i biscotti? È assurdo. Si lascia stringere fra le sue braccia: lui ha sempre un così buon profumo. Sergio è l'amore della sua vita, il sorriso che la fa alzare la mattina, il bacio che neutralizza ogni cattivo pensiero, la carezza che la sostiene nei momenti difficili, quando il suo perfezionismo si incrina e tutto sembra andare fuori controllo. Sergio è il pilastro che la solleva da terra, saldo, risoluto e affidabile.

Quando si separano dall'abbraccio, Giovanna ha la sensazione di essere guarita da una lunga malattia. Eppure, la ferita non si è rimarginata. La sente ancora pulsare. Ma lei la fascerà seppellendola sotto strati di bende. La ignorerà.

Prende i tovaglioli di carta e trova i biscotti, che erano finiti in fondo allo scaffale, nascosti dietro la scatola del riso. Li dispone in modo ordinato in un piccolo vassoio di legno dipinto a mano. Si augura che la signora Conforti li trovi di suo gusto. È preoccupata per lei. Sergio le ha versato dell'altro cognac e in pratica è a stomaco vuoto: un cioccolatino non è molto per contrastare gli effetti dell'alcol, perciò ha pensato di offrirle dei biscotti. Povera donna! È evidente che ricordare le sia penoso. Non per niente ora ha chiesto una pausa, con la scusa di «andare alla toilette a rinfrescarsi il viso». Ha detto proprio così: «rinfrescarsi il viso». Un'espressione che Giovanna ha sentito solo nei film, nelle pellicole degli anni Cinquanta quando le protagoniste si rifugiano nel bagno dei ristoranti per sfuggire ai pretendenti molesti. Forse che quell'uomo, Vittorio, si sia rivelato tale?

La sua mente pratica la induce a credere che Adele abbia bisogno di prendere fiato, di diluire un po' il denso flusso di coscienza che l'incontro mancato con la sorella ha evocato. Una breve interruzione ad alta concentrazione di zuccheri la aiuterà a addolcire i ricordi, pensa Giovanna, che crede di sapere sempre cosa è giusto fare.

«Che state combinando?» chiede Leonardo. Li ha raggiunti in cucina con un'aria sospettosa, come se stessero tramando alle sue spalle.

«In effetti, stavamo pensando di lasciarti da solo con la signora Conforti, visto che, a quanto pare, ha un debole per te!» scherza Sergio, dandogli una leggera pacca sul sedere.

Leonardo ha un sussulto: lo guarda in un modo strano, ma non ribatte. Giovanna è sicura che stia ridendo a denti stretti: ama fare battute quasi quanto detesta esserne il bersaglio. Prima o poi, gli farà un bel discorsetto. Anzi, chiederà a Sergio di parlargli. Tra uomini è meglio. Altrimenti, a cosa servono gli amici? Leonardo deve cambiare atteggiamento con Annamaria, se vuole che la loro famiglia funzioni. Qualcuno glielo deve pur dire, e Sergio è senza dubbio la persona giusta. È l'unico ad avere un certo ascendente su di lui. Leonardo sta per diventare padre, non può continuare a fare il bel tenebroso, lo scapestrato, il ribelle. È arrivato anche per lui il momento di mettere i piedi per terra e assumersi le sue responsabilità.

Forse se la sta prendendo troppo a cuore, ed è una questione che, dopotutto, non la riguarda, ma l'indignazione che ne trae stranamente la conforta. Le manchevolezze dell'amico riescono quasi a distoglierla da quell'«altro» pensiero. Se non fosse così occupata a sistemare i biscotti sul vassoio, e a non vedere ciò che è proprio davanti ai suoi occhi, forse si accorgerebbe di quanto Leonardo sia turbato. E che in quello stesso istante sta seguendo Sergio lungo il corridoio. Si sarebbe girata verso di loro e li avrebbe visti rifugiarsi in camera da letto con un'urgenza che lei ignora, per poi scivolarne fuori poco dopo con un'aria più felice. Forse avrebbe perfino colto Sergio nell'atto di baciare sul collo Leonardo, mentre gli sussurra teneramente «Tu sei pazzo...», e proprio nel momento in cui la signora Conforti sta uscendo dal bagno.

E invece no. Non ha visto né sentito nulla. Porta i biscotti in sala e li offre come una perfetta padrona di casa, e Sergio e i suoi ospiti sono tutti lì riuniti, dove devono essere.

«Quando l'ho conosciuto, Vittorio aveva trentun anni» riprende a raccontare Adele dopo aver bevuto un altro sorso di cognac, quasi per darsi coraggio. Sposta il bicchiere sul tavolino accanto a sé, l'orlo macchiato di rossetto. Il grosso anello che porta all'anulare destro ha urtato contro il vetro producendo un suono acuto. «Era un brillante avvocato con una carriera promettente in un prestigioso studio romano specializzato in diritto civile. Frequentava anche il mondo del cinema o, almeno, questo mi disse quella sera. Le cose, in realtà non erano esattamente tali, ma lo venni a scoprire tempo dopo. Sapeva essere affascinante e non si faceva scrupolo di usare il proprio carisma per fini che conosceva solo lui. Ogni sua parola, sguardo, gesto, esprimeva una promessa. Ma raramente una certezza. C'era qualcosa nel suo modo di fare che ti invitava a seguirlo ovunque ti portasse. Anche all'inferno, perché con lui sarebbe stato un paradiso.

Quando ci fidanzammo mi regalò un brillante circondato di smeraldi, montato su una vera in oro bianco. Era appartenuto a sua madre, che era mancata quando lui aveva sette anni. L'anello era leggermente grande per il mio anulare, così gli dissi che l'avrei portato a farlo sistemare. Si trattava di un gioiello molto prezioso e io non volevo certo perderlo. Una settimana dopo papà, vincendo la resistenza della mamma, organizzò per noi a casa una piccola festa di fidanzamento e Vittorio arrivò con un meraviglioso bouquet di mughetti e roselline rosso carminio, il mio colore preferito. Lo aveva ordinato a Roma dal fioraio più esclusivo dei Parioli, mi disse.

"È bellissimo, Vittorio!" esclamai buttandogli le braccia al collo.

Ma lui mi allontanò. All'improvviso, era diventato gelido. "Dov'è l'anello?"

"È ancora dal gioielliere. Ti ricordi, era largo, L'ho portato a far restringere. Purtroppo sarà pronto solo giovedì..."

"Era l'anello di mia madre. Sai cosa significa per me. L'hai fatto apposta, vero?"

"Ma no, amore, figurati. Purtroppo il gioielliere..."

"Sei riuscita a rovinare il giorno più importante della tua vita, brava!"

Mi ignorò completamente per tutta la durata della festa. Io ero distrutta, mortificata, a pezzi. Ma dovevo fingere di essere felice, altrimenti cosa avrebbero pensato i miei genitori? Ogni volta che mi avvicinavo, Vittorio mi evitava, e lo faceva con un tale stile che nessuno si accorgeva di nulla. Lo vedevo scherzare con Elsa, fare delle gentilezze alla zia, perfino mia madre si era un po' addolcita e rideva alle sue battute. Poi papà mise su un disco di valzer viennesi e mi fece ballare. Dopo un paio di giri, mi affidò al mio fidanzato. Io ero terrorizzata: cosa sarebbe successo? Vittorio avrebbe annunciato a tutti che io lo avevo offeso e, quindi, il fidanzamento era rotto? Invece lui mi prese tra le braccia e mi fece ballare come una principessa.

"Sei stata molto cattiva, questa sera avrai la tua punizione" mi sussurrò languidamente mentre vorticavamo sul tappeto del salotto.

Quella notte mi raggiunse a casa di nascosto. Avrei dovuto dirgli di no, ma mi sentivo terribilmente in colpa nei suoi confronti. E così gli aprii la porta e lo feci entrare. Papà era dovuto andare in caserma e mia madre, Elsa e la zia, affaticate da quella giornata così densa, dormivano profondamente. Nessuno si accorse di nulla. Quanto a me, ero elettrizzata e terrorizzata al tempo stesso.

Appena raggiungemmo la mia camera, lui cominciò a baciarmi teneramente mentre mi spogliava, mi leccò il lobo di un orecchio e lo mordicchiò. La sua lingua morbida come velluto mi fece venire la pelle d'oca. Poi quando fui completamente nuda davanti a lui, all'improvviso mi schiaffeggiò, mi spinse supina sul letto e, tappandomi con una mano la bocca, mi penetrò con violenza in quella posizione sottomessa. Lo sentii farsi largo dentro di me, avido e spietato, mentre profanava la mia verginità senza nemmeno guardarmi in faccia. Provai una fitta acuta al ventre, ma subito dopo fui pervasa da un'ondata di piacere così intenso che distinguerlo dal dolore era impossibile. Non potendo urlare, morsi il cuscino tra le lacrime fino a strapparlo. Così facemmo l'amore per la prima volta, ed ebbi la mia punizione.»

Nella stanza ora è calato il silenzio. Annamaria è percorsa da un brivido: non può fare a meno di pensare che quell'uomo fosse, in realtà, un brutale sadico.

Per una donna d'altri tempi come Adele non deve essere stato facile trovare le parole per raccontare un episodio così intimo e sconvolgente.

«Quando ebbe finito, Vittorio mi prese tra le braccia, mi cullò teneramente e di lì a poco facemmo di nuovo l'amore, e questa volta fu dolcissimo. Sarebbe stato così a ogni amplesso: fino all'ultimo non sapevo se lui sarebbe stato un amante premuroso o spietato. Giocava con me come un gatto con il topo, a letto e nella vita di tutti i giorni. Era l'uomo più dolce del mondo ma poi, senza alcun preavviso, bastava un niente per trasformarlo in una creatura vendicativa e crudele. Sembrava provare gusto a ferirmi. E quando io sprofondavo nella disperazione, certa di averlo deluso, eccolo tornare ancora più sollecito e appassionato di prima. Non potevi mai stare tranquilla con lui.

Forse una donna più scafata di me avrebbe avvertito un segnale di pericolo in tanto sforzo seduttivo e sarebbe riuscita a resistergli, ma io non ci pensavo nemmeno. Dal primo momento in cui l'ho visto non ho desiderato altro che conquistarlo. Non mi ero accorta di essere io la preda. L'educazione austera e povera di affetto che avevo ricevuto aveva fatto di me una totale sprovveduta in amore. Eppure, celavo anch'io un'anima sensuale, impetuosa e appassionata. La stessa che mi spingeva, da bambina, nascosta tra le foglie di una siepe di alloro, a pianificare un futuro dove i desideri non trovavano ostacoli.

Ci sposammo dopo neanche un anno di fidanzamento. Qualcuno insinuò che tanta fretta doveva per forza nascondere una gravidanza: non era vero. Dopo quella prima volta ce n'erano state altre ma usavamo delle precauzioni. Era il nostro scottante segreto. In realtà, scottante più che altro per me. Voi siete giovani, non potete sapere. Oggi esistono metodi anticoncezionali sicuri e quasi nessuno aspetta il matrimonio per il sesso, ma allora era diverso. Più che i precetti religiosi, pesavano la paura, le condanne sociali. Noi donne avevamo troppo da perdere: il nostro onore. Restare incinte al di fuori delle nozze significava ancora essere marchiate a fuoco. Eppure, per amore, passione o anche solo per pura bramosia, e per l'insistenza degli uomini, ugualmente continuavamo a rischiare. L'importante era che nessuno lo venisse a sapere. Eravamo più ipocriti? Forse.

La fretta con cui ci sposammo fu dettata soltanto dall'urgenza di amarci completamente alla luce del sole. Lui era pazzo di me o, almeno, così sembrava. E io ero pazza di lui. Talmente pazza da non pensare ad altro. Per la prima volta non provavo il minimo desiderio di condividere con mia sorella quel sentimento che mi dominava. Volevo tenerlo tutto per me. E per Vittorio, naturalmente. Nessuno era ammesso ad assistere da vicino alla nostra gioia. Nemmeno Elsa. Anzi, soprattutto Elsa. Perché segretamente temevo il suo giudizio. Forse lei sarebbe stata in grado di scorgerne le luci, ma anche le ombre. Quelle ombre che io, invece, mi sforzavo di minimizzare.

Non vedevo l'ora di sposarmi anche per questo. Per tagliare i legami che ancora mi tenevano imprigionata nel passato. Per andarmene a Roma, via dalla famiglia. Per voltare le spalle a quel buco nero che era stata la mia infanzia. Per fuggire da mia madre e dalla sua crudeltà. E se il prezzo da pagare era lasciare mia sorella, pazienza. Del resto, lei era diventata taciturna e scostante, sebbene mi stesse aiutando in ogni modo per i preparativi del matrimonio. Presa com'ero da Vittorio e dalle nozze incombenti, sulle prime non feci troppo caso al suo umore attribuendolo al clima frenetico di quelle settimane. In seguito, però, ripensando a quel periodo mi sono resa conto che il suo atteggiamento nei miei confronti era profondamente cambiato.

Un pomeriggio, stavamo tornando a casa a piedi attraverso il dedalo di stradine che dal centro città porta verso la campagna. Eravamo state dalla modista per la prova dell'abito da sposa, c'era un sole già forte per essere l'inizio di aprile, ed eravamo accaldate. Rallentammo il passo. All'improvviso, guardandomi dritto negli occhi come non faceva da un bel po' di tempo, Elsa mi chiese: "Sei sicura di amarlo?".

"Certo che lo amo!" risposi. La sua domanda mi sembrò offensiva, come se non credesse alla sincerità dei miei sentimenti. "Perché me lo chiedi?"

"No, niente... Era solo per sapere. A volte, tutti si aspettano che le cose vadano in un certo modo, e tu ti ritrovi in trappola, a causa della pressione. Magari ti accorgi che ciò che volevi era diverso. Ti accorgi di aver preso qualcosa che non ti appartiene, e nemmeno ci tenevi."

La guardai interrogativa. Davvero non capivo cosa intendesse dire.

"È quello che succede in un romanzo che sto leggendo. Polly, la protagonista, sta per sposarsi con un conte, ma in realtà è innamorata di un contadino, solo che se ne accorge troppo tardi, quando la sua amica del cuore le chiede a bruciapelo, appunto, se è davvero innamorata. Ho pensato che qualcuno avrebbe dovuto chiederlo anche a te, per darti la possibilità di cambiare idea, se per caso lo volessi."

"Ma io non ho alcuna intenzione di cambiare idea."

"Meglio così."

"Che romanzo è?"

"Un romanzo francese. Non l'hai letto."

"E come si intitola?"

"*La contessa di Mont Blanc*" rispose, un po' troppo velocemente.

Registrai quel titolo da romanzo d'appendice e non ci pensai più. Era proprio da lei applicare le trame dei libri alla vita di tutti i giorni. Anni più tardi provai a cercare quel libro. Ma, ovviamente, non era mai stato scritto.»

«In che senso non era mai stato scritto?» chiede Annamaria.

«Forse, Elsa se l'era inventato...» suggerisce Elena, che ha una certa pratica nell'improvvisare storie che sembrano vere, e magari lo sono.

«Sul serio? Se l'era inventato? E perché?» insiste Annamaria.

Ma Adele non le risponde.

Istanbul, 7 febbraio 1974

Cara Adele,

qui diluvia incessantemente da ore. Mi sono fatta portare un tè in camera: spero mi riscaldi perché fa parecchio freddo e la stanza, nonostante la stufa, è gelata. Sto aspettando con impazienza che la pioggia smetta o, almeno, si diradi un po'. L'ultima cosa che voglio è inzuppare il mio nuovo cappotto di cammello, lungo fino ai piedi. Quando l'ho acquistato, il negoziante mi ha garantito che è impermeabile e antimacchia, ma non ho nessuna voglia di assicurarmene.

Oggi avevo in programma di andare dalla sarta. Ne ho trovata una bravissima, vicino al mio albergo. Si chiama Madlen ed è di origine armena. La sua famiglia abita a Istanbul da tre generazioni, fin da quando Beyoğlu e Pera erano quartieri ancora più cosmopoliti di quanto non lo siano ora. Armeni, genovesi, veneziani, francesi, greci, ciprioti: non ti immagini nemmeno quante comunità convivono tuttora in questa metropoli, nonostante a metà degli anni Cinquanta su di loro si sia abbattuta un'odiosa sollevazione xenofoba. È stato terribile: una folla inferocita di ultranazionalisti ha invaso il quartiere. Se la sono presa soprattutto con i greci, ma non hanno risparmiato a nessuno la loro violenza. Hanno incendiato case, distrutto negozi, cacciato famiglie intere. Pochi si sono salvati.

Madlen mi ha raccontato tutto questo l'altra mattina mentre mi prendeva le misure per il cartamodello. Le ho commissionato un abito da cocktail in un meraviglioso tessuto di seta grezza color turchese che ho acquistato al Gran Bazar tempo fa.

Le sue parole mi hanno impressionato. Dario una volta me ne aveva accennato, ma ascoltare la testimonianza di una persona che ha vissuto sulla sua pelle un'esperienza così drammatica è tutta un'altra cosa. Lei e i suoi parenti si sono salvati grazie all'intervento di alcuni vicini turchi, che li hanno protetti. Qualcuno aveva prestato loro una bandiera da far sventolare dal balcone, mentre un uomo, con la tradizionale barba lunga e il takke da preghiera in testa, si era piazzato davanti alla loro porta gridando «Sono dei nostri!» a chiunque si avvicinasse. Madlen ci tiene a sottolineare che nel quartiere nessuno ce l'ha mai avuta con loro e che lo spirito tollerante del luogo, nonostante tutto, è sopravvissuto.

Uscita dal suo atelier, non avevo voglia di tornare in hotel, così ho fatto una passeggiata. Mentre percorrevo le vie di Beyoğlu, piene di gente e di negozi, mi sono sentita più che mai parte di questa meravigliosa città dall'anima antichissima, ma dallo spirito così moderno. Scorgendomi in una vetrina avanzare dritta ed elegante tra la folla, mi è venuto spontaneo ripensare a com'ero quando, appena arrivata alla stazione di Sirkeci, mi trascinavo esausta e impaurita in cerca di un alloggio per la notte. Sono trascorsi solo quattro anni da allora, eppure mi pare una vita. Per strada ho comprato una ciambella da un venditore di simit: era un sacco di tempo che non ne mangiavo una. Non so se ti piacerebbe, ma per me affondare i denti nella sua pasta soffice eppure croccante, cosparsa di sesamo, ha del paradisiaco.

Camminando di buon passo sono giunta quasi senza accorgermene davanti a Palazzo Dolmabahçe, l'ultima residenza del sultano. I turisti fanno la fila per visitare Topkapi e ignorano la magnificenza di questo edificio imperiale. Costruito sulla sponda europea del Bosforo, con una grandiosa porta che dà direttamente sull'acqua e l'approdo privato, nelle facciate mescola rococò, barocco e neoclassico, ma gli interni sono in stile ottomano.

Un tripudio di oro, cristallo e legni pregiati, con oltre 285 stanze, 46 sale, 6 hamam e, naturalmente, l'harem. Tante volte passandoci davanti ne ho ammirato gli esterni, ma non avevo mai avuto occasione di visitarlo.

Senza pensarci due volte ho deciso di acquistare un biglietto di ingresso. Al momento di pagare, però, mi sono accorta di non avere abbastanza denaro con me. Mi ero scordata il portafogli in albergo: in tasca mi restavano solo pochi spiccioli. Stavo per andarmene, ma un turista francese che era in coda dietro di me si è offerto di pagare la differenza. Che bello incontrare una persona gentile che corre in aiuto di una signora in difficoltà, ho pensato. E non era finita lì.

Pare ci siano voluti undici anni per costruire Palazzo Dolmabahçe, che è stato ultimato solo nel 1856. A vederlo tutto per bene ci vorrebbe una giornata intera. Era pomeriggio inoltrato ormai, così procedevo veloce di sala in sala e intanto cercavo di immaginare come doveva essere la vita di un sultano, poco più di un secolo fa, tra quelle pareti riccamente decorate.

Ero così immersa nelle mie fantasie che non mi sono accorta che un uomo mi stava parlando. Era il turista di prima, quello che mi aveva pagato il biglietto. Devo averlo guardato con stupore, perché lui dal francese è passato subito all'inglese, lingua che conosco decisamente meglio. Mi aveva visto tirar dritto verso l'uscita e voleva avvertirmi che stavo scordando la parte più interessante di tutto il palazzo. E così dicendo mi ha mostrato un cartello che, a pochi metri da noi, indicava il percorso per raggiungere l'harem.

L'ho ringraziato ancora una volta e, osservandolo meglio, non ho potuto fare a meno di restare colpita dalla sua bellezza. L'avresti trovato affascinante anche tu: hai presente il tipo d'uomo con penetranti occhi verdi, naso importante e riccioli neri?

Marc, così si chiama, insegna storia a Lione ed è un vero appassionato di arte orientale. Visitare l'harem con lui sarebbe stato senz'altro istruttivo, se solo lo avessi ascoltato con maggiore attenzione. Mentre mi elencava date e stili architettonici leggendo

97

una corposa guida turistica, la mia mente vagava altrove. Pensavo alla donna misteriosa che avevo incontrato al bar della stazione di Venezia. Mi aveva raccontato di essere stata tra le ultime cortigiane ospitate nell'harem del sultano: quindi era qui che aveva vissuto? Non mi aveva rivelato granché della sua vita di allora, ma quel poco mi era rimasto impresso. Per esempio, che pur essendo alla mercé dei desideri del sultano, le cortigiane potevano godere di molti privilegi. Mentre ne parlava, il suo sguardo si era velato, sopraffatto da una profonda nostalgia.

I miei passi risuonavano su quegli stessi pavimenti di marmo che generazioni di donne recluse avevano percorso, impegnando le loro giornate nel farsi belle per un solo uomo. E pur di diventarne la favorita, erano disposte a ordire tranelli, lanciare maledizioni, perfino uccidere. Si immergevano in bagni profumati, ungevano la pelle di oli preziosi, sistemavano i capelli in elaborate acconciature, indossavano abiti dai tessuti ricercati e gioielli splendenti. Eppure, solo una, alla fine, sarebbe stata ammessa alla presenza del loro signore. Solo una. E non necessariamente la più bella, perché al sultano ciò che più stava a cuore era che la prescelta fosse intelligente e capace di conversare con lui. Alle altre, guardate a vista dagli eunuchi, gli unici uomini ad avere accesso all'harem oltre al sultano, non restava che sciogliere le rivalità in chiacchiere, musica, risate, confidenze, segreti da raccontare sottovoce.

Possibile che quelle giovani donne desiderassero davvero vivere in una simile gabbia dorata? L'essere trattate con ogni riguardo poteva compensare la mancanza di libertà? E quale amante può sentirsi gratificato da simili attenzioni forzate? Mentre mi ponevo queste domande, ho pensato a quanto spesso gli uomini confondano l'amore con il potere. Ti spiano, ti controllano, cercano di convincerti che la gelosia sia una dimostrazione di quanto tengano a te. Ma cosa ha a che fare tutto ciò con l'amore? Nulla. Perché amare significa affidarsi. Contare l'uno sull'altro. Lasciarsi andare.

Terminato il giro turistico, Marc mi ha invitato a prendere un tè al suo albergo, che non era molto distante. Il tè si è trasformato in cena, la cena in una passeggiata sul Corno d'Oro, la passeggiata...

La mattina dopo, mentre in taxi ripercorrevo al contrario il tragitto che avevo fatto a piedi il giorno prima, ho ripensato a come il destino sia costellato di incontri fortuiti. Se non fossi andata a Palazzo Dolmabahçe non avrei conosciuto Marc. Se non avessi insistito per andare alla festa, nonostante tu fossi malata, non avrei incontrato Vittorio, e lui non mi avrebbe mai corteggiato. Non mi avrebbe baciato. Non mi avrebbe rubato il cuore, per poi voltarmi le spalle e mettersi con te. E sposarti, perfino. Te ne ha mai parlato? Ti ha mai detto quanto si sia divertito a sedurre e abbandonare un'ingenua fanciulla, come in un romanzetto da quattro soldi? Dopo, però, si è pentito, ma questa è un'altra storia, di cui oggi non ho voglia di parlare.

L'incontro con Marc è di qualche giorno fa. Da allora non l'ho più visto. Lui, però, non l'ha presa bene. È tutta la settimana che mi cerca. Ieri l'ho intercettato nella hall che chiedeva di me: ho fatto appena in tempo a nascondermi nel corridoio di servizio. Non voglio rivederlo. Tutto quello che avevamo da darci ce lo siamo dato. Ci sono amori per i quali non basta una vita intera e altri che bruciano in una notte. Non sto dicendo che i primi siano migliori dei secondi: è solo una questione di scadenza. Se non vuoi soffrire, devi conoscere i tempi.

Domani mattina presto, comunque, Marc lascerà Istanbul per fare ritorno a Lione. L'altra notte, in camera sua, ho visto il biglietto ferroviario. Il suo assedio sta per finire.

Nel frattempo ha smesso di piovere. L'acquazzone torrenziale ha lasciato il posto a un sole freddo ma luminoso. È apparso perfino un sottile arcobaleno. È ora di andare da Madlen: il mio nuovo abito turchese mi aspetta.

Prima di lasciarti, però, ho un annuncio da fare: presto la mia vita cambierà ancora una volta. Sto per mettermi in affari. Hai presente l'hamam di quartiere di cui ti ho scritto qualche tempo fa? Ebbene, l'ho comprato! Ho scoperto che era in vendita passandoci davanti e ho pensato che fosse un segno del destino. Un altro.

Tutti i miei amici sono convinti che sia un'idea folle. Nessuna donna ha mai gestito un hamam, mi ripetono in coro scandalizzati. È un'attività equivoca, non è adatta a una signora! Ma più mi scoraggiano e più mi viene voglia di buttarmi in questo progetto. Sarebbe la prima volta che realizzerei qualcosa di totalmente mio. E poi, da quando sono a Istanbul ho sempre sognato di avere un hamam! Tra pochi giorni firmerò tutte le carte.

Sopra i locali dei bagni c'è anche un'abitazione. È abbastanza in buono stato: sarà sufficiente sistemare un po' i pavimenti, imbiancare le pareti e con l'arredamento giusto la trasformerò in un appartamento comodo e accogliente. Sarà la mia prima vera casa.

Mi rendo conto di aver scritto molto. Forse troppo.

Un giorno, chissà, ci rivedremo. E parleremo ancora del passato.

Con affetto,

tua sorella

«Stai meglio?»

«Ho avuto solo un calo di pressione. Adesso è passato, grazie.»

Annamaria parla con un filo di voce. È bianca come una bambola di cera. Giovanna l'ha aiutata a sdraiarsi di nuovo sul divano e non sembra convinta delle sue rassicurazioni. Il pallore dell'amica la preoccupa. Non sarà il caso di portarla in ospedale?

Leonardo dà voce ai suoi dubbi: «Vuoi che ti portiamo al pronto soccorso?».

«In ospedale possono farti subito un'ecografia e tutti gli altri controlli necessari» interviene Elena con tono professionale.

«Ma no, non è niente. Davvero. Il bambino si è appena mosso, sta bene. È stato solo un attimo. Ora sto meglio, lo giuro.»

Leonardo non insiste: è la risposta che sperava di sentire. Dopo tutto quello che è già successo, ci mancava anche una corsa in ospedale.

Avverte la presenza di Sergio come una scottatura sulla pelle. Vorrebbe toccarlo, abbracciarlo. Vorrebbe che Annamaria e tutti gli altri sparissero come per magia per lasciare loro due finalmente soli. Sa che è abominevole da parte sua anche solo immaginarlo, sua moglie non se lo merita. Ma non riesce a farne a meno. Poi intercetta lo sguardo penetrante della signora Conforti. È una sua impressione o gli sta sorridendo con aria indulgente? Quella donna ne ha viste tante nella sua vita... Possibile che abbia capito? Pensarlo non lo aiuta a calmarsi.

Abbandonata tra i cuscini, anche Annamaria guarda Leonardo. È sicura di amare suo marito? È davvero lui l'uomo della sua vita, il padre di suo figlio? Troppo spesso queste domande risuonano nella sua testa. Ha cercato di ignorarle, ma le parole di quella donna hanno dato loro forza. Ed è stata colta dal panico.

Sta per mettere su famiglia e ha il terrore di essersi scelta il compagno sbagliato. E il peggio è che quello giusto non si metterebbe mai con lei. Perché è già impegnato. E perché per lui fare l'amore con lei è stato solo un incidente di percorso. Una distrazione. Un abbraccio di troppo che lo ha fatto deragliare oltre la rete sicura dell'amicizia. Sì, è soltanto un amico, si ripete. Non potrà essere mai nient'altro per lei, è inutile illudersi. E poi, come parlargli del bambino se non ne è sicura nemmeno lei? Al solo pensarci le sale l'angoscia. Come potrà fare finta di niente? Sul serio riuscirà a fingere che tutto vada bene?

Annamaria prova a calmarsi concentrandosi sulla respirazione diaframmatica, come le hanno insegnato al corso pre-parto. Inspira con il naso ed espira con la bocca cercando di seguire un ritmo regolare. Sente la pancia salire e scendere, scendere e salire. Giulio è andato in cucina a prendere un bicchiere d'acqua e ora glielo porge. Lei cerca i suoi occhi gentili: nonostante tutto, hanno il potere di tranquillizzarla.

Giovanna è sollevata. L'amica sta riprendendo colore mentre Giulio le massaggia la fronte per darle sollievo. Quante cose in comune hanno quei due! si sorprende a pensare. L'amore per l'arte, la spiritualità, la gentilezza. Ma in amore le cose non funzionano così. In amore gli opposti si attraggono, lei lo sa bene. Il suo sguardo si sposta verso Sergio, che se ne sta seduto sovrappensiero, tamburellando con le dita sulla sponda della poltrona. Le piace osservarlo mentre lui non se ne accorge. È così bello. Emotivo, irruento, a volte insicuro. Sì, gli opposti si attraggono. Lui alza gli occhi e intercetta il suo sorriso, ma subito volge lo sguardo altrove.

«Ci sposammo e la mia vita cambiò.»

Il piccolo incidente è chiuso e Adele Conforti riprende il suo racconto. Tiene le mani in grembo, le dita strettamente intrecciate, come a darsi forza.

«Tanto per cominciare, lasciai Viterbo e mi trasferii a Roma con Vittorio. Prima ci eravamo recati in viaggio di nozze a Positano. Il nostro hotel dominava la costiera. Potevamo vedere il mare senza nemmeno alzarci dal letto. Mi sentivo la protagonista di una fiaba a lieto fine. E Vittorio era il mio principe. Del resto, fra le tante donne che gli ronzavano intorno, lui aveva scelto me.

A volte, in tutta quella felicità, però, mi assaliva un po' di gelosia. Me la prendevo persino con mia sorella: in fondo, lui aveva abbordato lei per prima. Ma Vittorio sorrideva dei miei dubbi. Non vedevo quanto mi amava? Non esisteva nessun'altra donna al mondo per lui, mi diceva. Quanto a Elsa, emotivamente era poco più di una ragazzina e la sua riservatezza era noiosa. Solo io lo rendevo felice. Quando per gioco gli chiedevo il perché, lui rispondeva che ero eccitante come una sfida. Io allora non capivo cosa volesse dire, ma non mi importava. Il suo amore mi faceva sentire speciale.

A Roma Vittorio viveva qui al Testaccio in un appartamento da scapolo, inadatto a una giovane coppia, così cercammo una sistemazione più grande e confortevole nello stesso quartiere. Questa casa mi piacque non appena la vidi. Per la disposizione degli spazi, la luce. E il balcone, naturalmente.»

«Il balcone?» chiede Giovanna. «Qui non c'è nessun balcone. Forse si sta confondendo...»

«Cara, so bene che non c'è più. Sono stata io a farlo demolire» ribatte prontamente la signora Conforti. «Però un tempo c'era. Vi si accedeva dalla cucina. Lì una volta avevamo una portafinestra.»

«Ma perché l'ha fatto abbattere?» chiede Giovanna contrariata. Non riesce a fare a meno di sentirsi defraudata da questa scoperta. Adesso l'appartamento varrebbe molto di più.

Adele non risponde.

«Dunque, come dicevo, acquistammo questa casa» continua imperterrita il suo racconto. «Mio padre volle aiutarci economicamente: fu il suo dono di nozze. Vittorio, non appena gli dissi delle intenzioni di papà, si infuriò. Quell'offerta generosa gli parve un'accusa nei suoi confronti, un modo per sottolineare che lui, nonostante la brillante carriera, non era ancora in grado di assicurarmi un tetto. Eravamo tornati da poco da Positano e fece una scenata terribile. Urlò offese irripetibili contro la mia famiglia e se la prese anche con me. Non arrivò alla violenza fisica, ma la sua rabbia mi fece paura. Per la prima volta mi chiesi di cosa sarebbe stato capace. Il giorno dopo, era tornato a essere l'uomo affascinante e galante di sempre. Come se non fosse accaduto nulla. In seguito, non sollevò alcuna questione. Mio padre staccò l'assegno e non ne parlammo più.

Del resto, anch'io non desideravo altro che lasciarmi quel brutto episodio alle spalle. Mi autoconvinsi che si era trattato solo di un incidente. Mio marito non si sarebbe mai comportato così, se non fosse che stava soffrendo perché avrebbe voluto provvedere a me in tutto. Era normale che si sentisse sotto pressione, che avesse i nervi a pezzi. Non intendevo certo guastarmi la felicità che mi ero appena conquistata per uno sfogo di rabbia passeggera.

Mi sentivo al settimo cielo. La mattina Vittorio usciva per andare al lavoro e spesso non tornava che a tarda sera, ma a me non dispiaceva: assaporavo in solitudine la mia libertà. Era come giocare tutto il tempo con le bambole, senza che mia madre mi sgridasse perché stavo ridendo troppo forte. Qualche volta sentivo nostalgia di Elsa, ma era solo un attimo e subito mi lasciavo riprendere da quella strana euforia. Finalmente potevo decidere io come trascorrere le mie giornate, cosa fare di me stessa. A volte mi divertivo a spostare il tavolo da pranzo o il divano solo per vedere l'effetto che faceva, per poi risistemare tutto com'era. Oppure preparavo elaborate ricette in dosi così abbondanti da non avere più posto dove metterle in frigo. Uscivo solo per la spesa. Quando tornava Vittorio, abbandonavo i miei giochi per cercare di essere la moglie perfetta che lui desiderava.

Ogni mattino appena sveglia mi davo un pizzicotto per essere sicura che non fosse un sogno. Le fantasticherie a cui mi abbandonavo da ragazzina si confondevano con la realtà. In una delle più verosimili, la seconda stanza di casa diventava la cameretta del nostro bambino, ma questa prospettiva mi riempiva di gioia e di sconcerto al tempo stesso. Dentro di me, da qualche parte, c'era infatti la consapevolezza di vivere in una fragile bolla di felicità. Un niente avrebbe potuto farla scoppiare, figuriamoci un figlio. C'era spazio solo per me e Vittorio nel nostro amore. Eppure questa consapevolezza non fu abbastanza. Ero giovane e presuntuosa, e presto mi convinsi che il sentimento che ci univa ormai era diventato così forte da resistere a qualsiasi prova. Niente e nessuno ci avrebbe diviso. Ne ero certa. Ma sbagliavo. Mi sembrava di vivere in un sogno perché nulla della mia nuova vita era reale.»

«In che senso nulla era reale? Suo marito le stava mentendo?» la interrompe Giovanna.

Adele tace per un istante, ma non mostra di averla sentita. Fino a quel momento ha parlato quasi in trance. Deglutisce a vuoto. Forse sta mandando giù un boccone amaro. Un ricordo che va digerito prima di continuare.

«Avreste dovuto conoscerlo: Vittorio era così affascinante!» riprende sognante. «Gli bastava uno sguardo, una battuta, e chiunque cadeva ai suoi piedi. Donne mature, ragazzine. Anche uomini. Collezionava cuori spezzati e lo faceva con grazia, come se non ne fosse davvero consapevole. Bastava che mi guardasse negli occhi per farmi tremare le gambe. Quando mi parlava, scordavo tutto il resto. A volte, perdevo perfino il senso di quello che mi stava dicendo: la sua voce roca e indolente vibrava dentro di me come una musica che solo io potevo sentire, catturandomi con la forza di un incantesimo. O forse di un maleficio. Avrebbe potuto dirmi qualunque cosa e io gli avrei creduto ciecamente. Pendevo dalle sue labbra. Così, quando una mattina lo vidi con una donna seduto a un tavolino di un caffè, non ci trovai nulla di strano, anche se da qualche parte dentro di me suonò un debole campanello d'allarme.

Ero uscita a fare la spesa e il locale si trovava lungo il tragitto verso il mercato rionale. Pensai fosse in compagnia di una cliente. Restai qualche secondo incerta se tirar dritto per non disturbare, ma la curiosità prevalse. Mi avvicinai per salutarlo e in quel momento la donna si voltò verso di me.

Era mia sorella.»

Istanbul, 20 dicembre 1976

Cara Adele,

torno a scriverti dopo così tanto tempo, nonostante mi fossi ripromessa di smettere. Sono passati quasi due anni dalla mia ultima lettera e, come sempre, ti sei ben guardata dal farmi avere tue notizie. Ma poco importa: la mia vita è qui a Istanbul ormai, sotto il suo cielo mutevole e magico, fra le strade animate che profumano di zenzero e cannella.

Sono trascorsi quasi due anni anche da quando ho inaugurato l'hamam. Ho fatto restaurare i bagni, sostituire la rubinetteria, riparare le vasche di marmo e le decorazioni sulle pareti, ma n'è valsa la pena: ho restituito loro l'antico splendore. Nel giro di poco tempo, è diventato un punto di riferimento irrinunciabile per tanti uomini in cerca di un luogo sicuro dove trovare il conforto dello spirito e il piacere della carne. Posso affermare con grande soddisfazione che, rispetto allo stato in cui era quando l'ho acquistato, oggi è una reggia.

Ne sono così fiera! All'inizio è stata dura: una donna qui deve faticare il doppio per ottenere la metà di quello che realizzerebbe in un Paese occidentale, ma ora mi sono costruita una certa reputazione.

Non puoi davvero immaginare quanto sia stato complicato, ma ormai è fatta. L'Aynaların Sultan Hamamı è perfettamente funzionante, al servizio di una clientela sempre più numerosa.

Il suo nome significa «Hamam del Sultano degli Specchi». Si è sempre chiamato così. Suggestivo, vero? In poco tempo, dunque, è diventato un'istituzione a Istanbul: vengono anche da fuori per visitarlo. Lo considero il mio tributo a questa città che ha saputo essere così generosa con me, un'avventuriera italiana arrivata senza un soldo, armata solo di speranza.

Gli affari vanno così bene che potrei starmene a casa e pagare qualcuno per gestirlo al posto mio, ma mi perderei tutto il divertimento. Adoro starmene lì, seduta all'ingresso dietro al piccolo banco di legno intarsiato ad accogliere i miei graditi ospiti. Ormai i più fedeli li conosco tutti, a uno a uno. So quando sono tristi e cercano un sollievo, quando hanno una preoccupazione, quando sono innamorati... Gli hamam sono strani luoghi, dove il vapore rilassa i costumi insieme ai corpi. Ho molti amici che mi sono grati proprio perché offro loro un riparo accogliente e discreto per certi capricci. Del resto, lo sai, difficilmente riesco a sottrarmi all'opportunità di far felice un uomo.

I clienti mi parlano, si confidano con me, mi trattano da pari. Insomma, ispiro fiducia. Ogni tanto, mi diverto a osservarli di nascosto mentre si intrattengono tra i vapori. So così tanti segreti sul conto di alcuni onorati padri di famiglia che vengo rispettata più delle loro veneratissime madri.

Anche l'abitazione annessa si è rivelata più bella e grande di quanto mi sarei aspettata. È comoda, disposta su due piani, colma di finestre e di luce. Vi ho sistemato tappeti, quadri, ricordi, ma ho ancora molto spazio da riempire. In questi anni avevo lasciato alcuni (pochi) mobili di quando abitavo con Ender nel magazzino di un amico, e ora finalmente li ho recuperati. Dopo aver vissuto a lungo in albergo, l'idea di avere a disposizione intere stanze da arredare e decorare a mio piacimento mi ha riempito di allegria.

Quello in cui ho scelto di vivere è un microcosmo che è allo stesso tempo un non luogo e tutti i luoghi del mondo, un crocevia di storie, destini, casualità. Credo di essere diventata anche più paziente e tollerante. Contrattempi che un tempo non avrei sopportato, ora mi scivolano addosso.

Una porticina dietro le scale nasconde un passaggio che conduce direttamente all'hamam, così non devo nemmeno uscire di casa, per raggiungere il mio regno. Dalla mattina alla sera, me ne sto qui, seduta tra cuscini di velluto nella mia postazione strategica, e il mio corpo si è inevitabilmente arrotondato, ma non me ne importa granché. Sorveglio il vestibolo insieme al mio gatto dal lungo pelo grigio e, intanto, mi assicuro che gli inservienti non facciano mai mancare asciugamani morbidi e sapone, controllo la temperatura dell'acqua, la pulizia delle vasche. Ho anche chiesto a uno degli uomini che lavorano per me di insegnarmi a fare un massaggio che dia sollievo allo spirito attraverso la carne. È un'arte antica, sensuale e spirituale insieme.

Qui il tempo sta diventando sempre più rigido: soprattutto la mattina, da nord soffia un vento gelido che ti penetra nelle ossa. Io, però, mi sento piena d'energia, come se vivessi immersa in un'eterna primavera. Ed è davvero così: dopo aver fatto colazione, indosso abiti leggeri e raggiungo il mio hamam che mi accoglie avvolgendomi con i suoi caldi vapori. Nell'hamam il rigore invernale non è ammesso.

Quest'anno ho perfino deciso di ignorare il Natale: è il sistema migliore per proteggermi dalla malinconia che questa ricorrenza inevitabilmente mi trasmette. Il consolato per tradizione dà una festa con spumante e panettone fatti arrivare appositamente dall'Italia. Ho partecipato talmente tante volte a questi ricevimenti che me li confondo, ma so per certo che in nessuno mi sono mai divertita. Nemmeno quando c'era Dario e ci sedevamo in disparte su un divanetto imbottito a spettegolare, commentando gli abiti delle signore e i tradimenti dei loro mariti. Le nostre risate suonavano false in quel clima di bontà forzata. Perciò quest'anno declinerò l'invito. Il Natale mi ricorda gli amici che se ne sono andati, i sogni svaniti, gli amori perduti. Mi ricorda che sono una persona cattiva, e profondamente sola. Evoca immagini di un passato che non smette di tormentarmi.

Tra poco dovrò uscire. Devi sapere che ho commissionato il mio ritratto a un pittore e vado a posare nel suo studio dall'altra parte della città ogni lunedì sera. È un artista molto meticoloso, non so quando finirà.

E tu, cosa starai facendo in questo momento? Hai un lavoro? Una famiglia? Un marito che prova ad amarti?

Lo so, questa lettera è una farsa. Tutte le lettere che ti ho scritto lo sono, tranne la prima. Mi è tornata indietro dopo qualche mese. Non l'avevi nemmeno aperta. E così è successo, negli anni, a tutte le altre. Ma io ho continuato a scriverti ugualmente. È l'unico modo che ho per sentirti vicina. Ogni volta che mi ritornano, penso che dovrei smettere di spedirtele, poi però la speranza di ricevere una tua risposta prevale.

Ti scrivo, e mi sembra di vederti seduta di fronte a me, mentre sorseggi un caffè forte e sorridi.

Qualche settimana fa, al mercato ho comprato un canarino. L'ho chiamato Cilli, mi fa compagnia. È solo come me, eppure non se ne cura. Anzi, sembra felice: la solitudine è la forza che lo sostiene.

Quando lo sento cantare nella sua piccola gabbia dorata mi ricordo di quanto, invece, io sia libera. Libera di amare chi voglio. Libera di ricordare senza rancore.

E tu?

Tua sorella

«Rimasi a bocca aperta: cosa ci faceva Elsa a Roma senza dirmi niente? E perché era insieme a mio marito?»

È quasi sforzandosi che Adele riprende a parlare, eppure tutti hanno l'impressione che quella riluttanza sia una messa in scena. Forse Adele non è così riservata come vuole far loro credere. Forse ci prova gusto nell'esibire perfino i dettagli più scabrosi della propria storia.

«Non appena mi scorse, Vittorio scattò in piedi: pareva allo stesso tempo sorpreso e sollevato nel vedermi. La mia parte gelosa si era insospettita, ma quella razionale desiderava una spiegazione semplice e banale. E venni accontentata.

"Oggi è il giorno degli incontri che non ti aspetti!" esordì Vittorio con allegria, facendomi spazio perché mi sedessi al loro tavolo.

Mi spiegò che stava tornando in studio dopo aver incontrato un cliente, quando aveva scorto Elsa tra i passanti. Era rimasto sorpreso quanto me di vedersela davanti. L'aveva invitata a sedersi a un bar per farsi raccontare con calma cosa ci facesse in città e perché non ci avesse avvertiti del suo arrivo. Nel frattempo, Elsa non aveva spicciato una parola. Teneva gli occhi incollati sulla tazzina ancora piena che aveva davanti, come se non riuscisse a staccarsene.

Non la vedevo da diverse settimane e la trovai dimagrita.

Il suo aspetto non era affatto dei migliori. Appariva sbattuta e sconvolta, sembrava sull'orlo del pianto.

Vittorio chiamò un cameriere e ordinai un caffè. Nell'attesa calò su di noi uno strano silenzio, a malapena colmato dal chiasso del locale. Mi accorsi che Elsa stringeva nervosamente tra le dita un tovagliolino di carta. Lo strappò in tanti piccoli pezzi, come faceva da bambina quando veniva sgridata ingiustamente dalla mamma. Mi chiesi quali pensieri la tormentassero. Tentai allora di farmi raccontare cosa fosse successo a casa, ma lei sembrava riluttante. A fatica riuscii a tirarle fuori poche parole di bocca. In realtà, non era accaduto nulla di che. Aveva litigato con nostra madre una volta di troppo, così aveva ficcato qualche abito in valigia, si era presa i pochi risparmi che aveva messo da parte e se n'era andata via sbattendo la porta.

"Da quanto tempo sei a Roma?" le chiesi. Visto che non aveva nessuna valigia con sé, poteva darsi che avesse perfino già trovato una sistemazione. Constatarlo mi riempì ancor più d'incredulità. Eppure, era proprio così.

Elsa mi rispose a monosillabi che era arrivata da una settimana. Si era sistemata in una pensione lì vicino. Non si era fatta viva con noi perché non voleva disturbarci. Era nelle sue intenzioni trovare anzitutto un lavoro, ma non era facile. Ogni volta, prima di rispondere guardava Vittorio. Pensai che ne fosse intimidita: probabilmente se fossimo state noi due sole non avrebbe esitato a chiedermi ospitalità e aiuto, ma la presenza di mio marito la inibiva. Di sicuro temeva di essergli d'incomodo. A nessun uomo sposato da poco piacerebbe avere per casa la cognata, e chissà per quanto. Ancora una volta mi sbagliavo, ma allora non potevo nemmeno immaginare la verità.»

A questo punto tutti nella sala vorrebbero chiederle quale sarebbe questa verità, ma qualcosa nel tono di voce e nello sguardo di Adele li ferma. Non è ancora il momento. La verità ha bisogno di tempo per essere svelata, e lei non è ancora pronta. E poi, chi può affermare senza ombra di dubbio che esista una sola verità, un'unica versione dei fatti?

«Elsa non faceva che ripetere che non voleva disturbare. Sembrava un disco rotto. Insistetti: l'appartamento era grande e lei poteva essere nostra ospite finché ne avesse avuto bisogno. Esortai Vittorio ad aiutarmi a persuaderla. Lui sembrò sorpreso, ma l'idea di interpretare il ruolo di salvatore di fanciulle in difficoltà dovette divertirlo perché si convinse in fretta. Con un tono che non ammetteva replica mise fine alla discussione affermando che Elsa non poteva abitare in una squallida pensione. Non l'avrebbe permesso. Mi sentii enormemente orgogliosa delle sue parole. Eravamo una famiglia.

Elsa ringraziò con le lacrime agli occhi, ma invece di mostrarsi contenta, parve ancora più smarrita, come se la nostra generosità l'avesse presa in contropiede. A quel punto si era fatto tardi e Vittorio doveva rientrare al lavoro. Pagò il conto e ci scortò verso l'uscita. In strada ci separammo. Alla valigia di Elsa avrebbe pensato lui: più tardi sarebbe passato alla pensione a ritirarla.

"Aspetta!" lo richiamai mentre si stava già allontanando. "Come fai a trovare la pensione? Elsa non ti ha mica detto il nome."

"Gliel'avevo già chiesto prima che tu arrivassi" rispose lui prontamente, ma non abbastanza per impedire a Elsa di esclamare con urgenza: "Andreotti! Pensione Andreotti".

Poverina, pensai, non sa nemmeno cosa gli ha appena detto. Doveva essere sconvolta. Mi fece tenerezza. La sentii di nuovo vicina, come quando eravamo piccole e fantasticavamo sulle nostre vite future, nascoste tra le foglie di un cespuglio che ci sembrava vasto come una foresta. D'impulso le presi una mano e gliela strinsi tra le mie, ma lei non reagì. Fu come toccare un pezzo di marmo, freddo, duro e scivoloso. Mentre ci avviavamo verso casa mi chiesi chi fosse davvero quella ragazza che mi camminava accanto.»

Il sole sta calando e i suoi ultimi raggi si allungano illuminando il parquet della sala. Lo sguardo di Adele Conforti vaga irrequieto lungo le pareti della stanza, senza soffermarsi su nulla in particolare. È un'altra casa quella che i suoi occhi stanno guardando. Una casa che esiste ormai solo nella sua memoria.

Anche il suo pubblico sembra ammutolito. Sergio è andato in cucina a prendere altri bicchieri e senza una parola ha versato il liquore a tutti, tranne ovviamente ad Annamaria. Hanno bisogno di bere qualcosa di forte per metabolizzare ciò che hanno appena ascoltato. Perfino Giovanna, che al massimo beve un calice di vino. Nessuno fiata. Hanno paura che con le loro domande possano interrompere l'ipnotico flusso di ricordi che, da un momento all'altro, si aspettano riprenda a scorrere trascinandoli nel gorgo di una sconvolgente verità. Elsa stava nascondendo un segreto? Perché era arrivata a Roma senza avvisare? Ciascuno di loro non può fare a meno di chiederselo tacitamente, arrovellandosi tra sé. Ogni singola parola di quella donna trasmette un oscuro senso di minaccia.

Quando Adele ricomincia a parlare, tutti avvertono un inspiegabile sollievo.

«Sebbene fossi follemente innamorata di Vittorio, sono sempre stata consapevole del fatto che il matrimonio mi aveva permesso anche di sottrarmi al clima opprimente della mia famiglia. In questo senso, era stato la mia via di fuga.»

Le ultime parole le pronuncia in un sussurro. Guarda i suoi ascoltatori a uno a uno, come in cerca della loro approvazione, poi riprende il filo del discorso.

«Quindi, non mi stupii affatto nell'apprendere da Elsa che, una volta rimasta sola, la situazione in casa si era fatta ancora più insopportabile. Nostro padre, ormai, lo si vedeva di rado. Erano più le notti che si fermava a dormire in Accademia, dove aveva un piccolo alloggio privato, che quelle in cui rincasava. Il motivo ufficiale era che con la recente riduzione del personale amministrativo aveva moltissimo lavoro extra, ma era chiaro che le ragioni erano altre e risiedevano nella sua incapacità di arginare la personalità disturbata della donna che aveva sposato. Anche lui aveva trovato la sua via di fuga. La mamma stava peggiorando di giorno in giorno.

Oggi la malattia mentale non è più un tabù, ma allora rivolgersi a uno psichiatra o a uno psicoanalista comportava uno stigma sociale. Così si cercava di ignorare certi problemi il più a lungo possibile, nascondendoli sotto strati di sofferenza familiare. Non abbiamo mai saputo di cosa soffrisse nostra madre, ora forse la sua malattia si chiamerebbe disturbo bipolare e verrebbe tenuta sotto controllo con una cura specifica. A quei tempi, invece, era lasciata libera di nuocere a chiunque. La mamma ne era la prima vittima, ovviamente, ma anche la sua sicaria e la nostra aguzzina. Nei momenti di crisi, che erano sempre più lunghi e ravvicinati, qualsiasi pretesto era buono per fare scenate. E da quando io me n'ero andata, la sua vittima preferita, inutile dirlo, era Elsa. Scaricava su di lei tutta la sofferenza accumulata in anni di cieco furore. Chiesi a mia sorella se zia Giustina, almeno, cercasse di calmare le acque, ma lei sbuffò alzando gli occhi al cielo: "Cosa vuoi che faccia, quella poveraccia? I suoi tentativi sono solo patetici" esclamò lapidaria.

Rimasi un po' spiazzata dalla sua risposta. Mi parve eccessivamente dura con la zia.

Eravamo sedute in cucina, una di fronte all'altra. Vittorio non rientrava mai per pranzo e io di solito facevo poco più che uno spuntino, ma per lei avevo preparato una pasta. In tavola avevo anche messo un po' di prosciutto e dell'insalata. Più che mangiare, Elsa giocherellava con la forchetta, spostando i maccheroni da una parte all'altra del piatto. Pensai che per essere reduce da giorni di stenti avesse davvero poco appetito.

Tra qualche ora sarebbe tornato Vittorio e io mi sentivo agitata senza una ragione precisa. Elsa, invece, sembrava si fosse del tutto calmata, rispetto a quella mattina al bar. Seduta composta, le mani abbandonate in grembo, non era più la giovane acerba e introversa, ma anche piena di sogni, che avevo lasciato a Viterbo. Ancora una volta, ebbi l'inquietante sensazione di trovarmi con un'estranea. Avrei voluto farle mille domande, ma mi trattenni. Quella sua algida placidità mi raggelava. Ciononostante, la esortai a continuare il suo racconto. Cosa era successo di tanto grave da spingerla ad andarsene di casa? Fu allora che mi rivelò di essere stata picchiata.

Tutto era cominciato come sempre con un rimprovero. Un pomeriggio la mamma l'aveva accusata di aver sbattuto una porta di mala grazia per farle dispetto, coprendola di insulti. Era solo l'ennesima scusa per sfogare la rabbia che aveva in corpo ed Elsa glielo disse. Non si era mai ribellata così apertamente e nostra madre aveva reagito dandole un violento ceffone. Elsa si era rifugiata in bagno con la guancia che le pulsava e rivoli caldi di sangue che le sgorgavano dal naso. Si era sciacquata il viso e aveva tamponato in qualche modo l'emorragia. Nell'urto, lo spesso anello d'oro che la mamma portava all'anulare destro le aveva procurato una ferita. Metà faccia le bruciava. Gli occhi le si erano riempiti di lacrime. Aveva ancora un livido sopra lo zigomo sinistro, mi disse, e per mostrarmelo si scostò i capelli.

Elsa mi raccontò che si era sentita salire dentro una rabbia come non ne aveva mai provata in vita sua. Una rabbia molto più dolorosa del ceffone. L'unico modo per calmarsi era stato andarsene. Era corsa in camera, si era procurata una valigia e ci aveva infilato alla rinfusa qualche abito, un po' di biancheria e un paio di scarpe di ricambio. Mentre stava uscendo si era sentita chiamare da zia Giustina in lacrime: l'aveva seguita fin sulla soglia di casa, ma lei non le aveva risposto. Si era allontanata affrettando il passo senza voltarsi. Il sole stava tramontando. Presto avrebbe fatto buio, ma non ci aveva badato. Si era messa quasi a correre senza sapere dove stesse andando, e all'improvviso si era trovata davanti alla stazione. Il primo treno in partenza era diretto a Roma. L'aveva preso.

Era scappata in preda a una tale agitazione che si era scordata di portare con sé l'agenda dove si era segnata il mio numero di telefono e l'indirizzo a Roma. Si ricordava solo il nome del quartiere, Testaccio, e della piazza omonima su cui si affacciava la strada dove abitavo. Sprovvista di indicazioni più precise, quindi, aveva pensato di sistemarsi in via provvisoria in una pensione della zona. Una volta installata, mi avrebbe cercato. Il suo piano, però, si era rivelato più difficile di quanto avesse previsto. Se quella mattina per puro caso non si fosse imbattuta in Vittorio chissà quanti giorni ancora le ci sarebbero voluti per rintracciarmi.

"Mi sembra assurdo che tu sia qui da una settimana! Non potevi chiedere a papà il mio numero di telefono?" le domandai incredula.

Ma lei non rispose. Disse invece: "Non sai il sollievo che ho provato quando mi sono sentita chiamare da una voce amica! È stato Vittorio ad accorgersi di me, io non l'avevo proprio visto".

Mentre mi parlava fissava qualcosa nel piatto, come se facesse fatica a sostenere il mio sguardo. Ebbi la sgradevole sensazione che mi stesse nascondendo qualcosa. Forse questa volta la mamma non c'entrava. Magari Elsa aveva combinato qualcosa di grave che non era ancora pronta a confessare. Ma se anche fosse andata così, sarebbe stato inutile insistere adesso: prima o poi, si sarebbe confidata.

Le mostrai la camera dove si sarebbe sistemata. Neanche a farlo apposta, solo tre giorni prima avevamo comprato un comodo divano letto. Mi venne in mente che era stato Vittorio a insistere per l'acquisto, convincendomi che poteva tornare utile in caso di ospiti, e gliene fui tacitamente grata. La sua era stata una premonizione preziosa. Tanto Elsa sembrava ora sollevata all'idea di essersi tirata fuori da un grosso impiccio, tanto in me l'agitazione era confluita in una sensazione di pura euforia. Solo adesso che mi si prospettava di nuovo la possibilità di condividere con lei le mie giornate, mi rendevo conto di quanto mi fosse mancata in tutti quei mesi. Finalmente avrei riunito sotto lo stesso tetto le due persone che più amavo al mondo. Era meraviglioso. Povera stupida, non avevo la minima idea in che cosa mi stessi cacciando.»

Cara Adele,

ci sono dei giorni verso l'inizio di ottobre in cui Istanbul improvvisamente diventa grigia. L'estate sembra finire di colpo e io ogni anno me ne stupisco, forse perché, da quando sono arrivata qui, mi sono sempre sentita in vacanza. Quando giunge l'autunno così, senza preavviso, ripenso all'Italia e mi assale la malinconia. Mi sveglio la mattina e cerco di immaginarti appena alzata. Mi chiedo cosa stai facendo, cosa mangi a colazione. Forse hai indossato un golfino per ripararti dal freddo. Magari mi pensi, qualche volta.

A me capita sempre più spesso. Non è curioso? Più passa il tempo e meno desidero dimenticare. Quando sono arrivata qui, quasi otto anni fa, avevo ben altri propositi. Pensavo solo al futuro. Mi attendeva un'altra vita, elettrizzante e spericolata, e io non vedevo l'ora di buttarmici con tutta la nuova me stessa. Pochi hanno la fortuna di avere una seconda possibilità, e io me l'ero guadagnata a caro prezzo. Rinunciando al passato, alla sicurezza, ai luoghi familiari che mi avevano cresciuta. A te. Già allora sapevo che non sarei più tornata indietro. Insieme agli affetti, però, mi ero lasciata alle spalle anche gli errori che non avrei più commesso. Adesso ero una donna diversa. Fuggire mi aveva fatto rinascere.

Prima di andarmene via dall'Italia mi sarebbe tanto piaciuto salutarti senza rancore, come due amiche che sperano di rivederci, un giorno. Tu però non lo hai permesso. Ero furente, ma adesso ti capisco. Ho preso da un cassetto l'unica foto che ho portato con me dalla mia vita precedente, ormai logora da quanto me la sono rigirata tra le mani per guardarla e riguardarla. Siamo noi due, in giardino. Abbiamo tu dodici e io dieci anni. Indossiamo lo stesso vestito, un abito estivo a fiori. La mamma si divertiva ancora a far credere che fossimo gemelle. Siamo ferme in posa, ma fremiamo dalla voglia di correre via. I muscoli delle gambe sono tesi, pronti a scattare. Ci brillano gli occhi.

Ricordo che a fare quella foto era stato nostro padre, e che noi avevamo fretta di correre via, nel nostro rifugio dietro l'alloro. Ti dovevo aver appena sussurrato all'orecchio un segreto, forse una scoperta, perché mi sorridi. Non so nemmeno più di cosa si trattasse, ma non è importante. Qualsiasi pretesto, allora, era buono per nasconderci e parlare a bassa voce come due cospiratrici, soffocando le risate e inventando spiegazioni improbabili di misteri inesistenti.

Anche tu possiedi una copia di quella foto. La tenevi in una cornice d'argento sopra il cassettone in sala, a casa tua. A volte mi chiedo se sia ancora lì. Forse l'hai nascosta. Oppure l'hai buttata via.

Che ci è successo, Adele? Perché un sentimento così forte si è spezzato in un modo tanto doloroso? Perché ci siamo fatte così male?

È l'unico rimpianto che porto sempre con me, la sola ragione per cui a volte mi assale ancora la malinconia.

Tu non hai mai voluto sentire le mie ragioni. Ti ho odiata per questo, sebbene con il tempo sia arrivata a comprenderti. Magari avrei fatto anch'io lo stesso, però avrei sbagliato. Se tu mi avessi ascoltata invece di sfuggirmi, forse non mi avresti lo stesso perdonata, ma io avrei potuto più facilmente perdonare te.

Vittorio non era l'uomo che tu hai sempre creduto che fosse. Io ero una ragazzina ingenua e sprovveduta, ma ho dovuto imparare ben presto, e a mie spese, a conoscerlo e amarlo per come *era veramente. Non ho avuto la forza di resistergli: questa è stata la mia colpa.*

Mi sono innamorata perdutamente di lui il giorno stesso in cui l'ho incontrato, l'unica volta in cui sono andata a una festa senza di te. Mi ha guardata e sono stata sua. Poi ha attaccato discorso, mi ha invitato a ballare, mi ha offerto una bibita, mi ha fatto arrossire riempiendomi di complimenti... Ma quel giorno avrebbe anche potuto ignorarmi e sarebbe stato lo stesso. Ero già caduta nel suo sortilegio.

Sono tornata a casa pazza di felicità. Non vedevo l'ora di rivederlo, contavo i giorni, le ore, i minuti. E quando è successo, all'ennesimo ricevimento di quell'estate di festeggiamenti continui, all'improvviso ai suoi occhi ero diventata trasparente perché c'eri tu. Cercavo di dire qualcosa, ma tu parlavi più forte. Gli sorridevo, ma tu mi passavi davanti. Speravo mi invitasse a ballare, ma ecco che tu lo avevi già preso per mano e lo trascinavi in mezzo alla sala ridendo in modo spudorato. Me l'hai portato via senza preoccuparti di sapere se mi stavi spezzando il cuore. E lui, be', lui a un certo punto mi diede due buffetti sulla guancia, come si fa con una bambina o un gatto, e mi voltò le spalle. Aveva una preda più eccitante da cacciare, una preda che non vedeva l'ora di essere catturata. Così vi siete fidanzati. E ti ha sposato.

Ma poi si è pentito.

Hai presente quando ci hai visto in quel caffè? Non è vero che ci eravamo incontrati per caso. Quando ti ho raccontato di aver litigato a causa della mamma ti stavo dicendo la verità, ma è stato Vittorio a portarmi a Roma. Da mesi ci frequentavamo di nascosto. Veniva a Viterbo durante la settimana per visitare un cliente. Fu lui a cercarmi, appostandosi vicino a casa, dove sapeva mi avrebbe incontrato. Così è cominciata. Lo raggiungevo il pomeriggio nella villa dei suoi parenti, che d'inverno era vuota. Ero diventata la sua amante. Mi sentivo in colpa? No. Perché quella che aveva rubato l'uomo alla sorella per me eri tu. E poi, Vittorio mi ripeteva che il vostro matrimonio era già in crisi: sposarti era stato un errore.

Ci davamo appuntamento in quella grande casa gelida e disa-

bitata, che odorava di chiuso e di terra. Io ero davvero ingenua, non sapevo nulla di sesso. Tutto quello che volevo da lui era un amore romantico, ma Vittorio desiderava il mio corpo. Così mi ha iniziato ai piaceri della carne come un maestro con l'allieva prediletta, e io gli davo tutta me stessa pur di compiacerlo. Facevamo l'amore in una camera al primo piano, dalle pareti azzurre e il soffitto decorato con motivi floreali. Gli piaceva che indossassi infantili gonne pieghettate e camicette che sbottonava lentamente, con il fiato corto per il desiderio. Le lenzuola erano umide e il freddo mi accapponava la pelle facendomi battere forte i denti, ma non potevo muovermi finché non me ne dava il permesso. Era lui a dirmi cosa fare, come toccarlo, in che modo mettermi. Il suo piacere era il mio. Allora i nostri respiri acceleravano e il gelo li univa in un'unica nuvola di vapore.

La sera in cui fuggii di casa ero fuori di me. Senza Vittorio non so come avrei fatto. Venne a prendermi in auto e mi portò a Roma, in una pensione non lontana dal suo studio. Entrambi eravamo d'accordo che era meglio che tu non ne sapessi nulla. Il suo umore, però, a poco a poco cambiò. Lo vedevo preoccupato, ma anche eccitato. Come se avesse qualcosa in mente, un piano cui pensava da tempo e che finalmente avrebbe potuto realizzare. Una mattina mi disse che dovevamo parlare, che così non poteva andare avanti. Mantenermi in albergo stava diventando troppo dispendioso. Mi portò in quel caffè. E poi arrivasti tu.

L'ha fatto apposta. Lo sapevi? Qualche tempo dopo l'ha ammesso. Voleva che tu ci vedessi. Che mi invitassi a stare con voi. Che fosse un'idea tua. Abitare sotto lo stesso tetto con la moglie e l'amante: aveva realizzato il suo sogno. Ma nonostante la sua evidente perversione, per me era ancora un dio. Un dio a volte malvagio, ma sempre irresistibile.

Poi, non so come, ho iniziato a capire che c'era qualcosa che non andava. In noi. In lui. A chi potevo confidare i miei dubbi? Non certo a te. Giorno dopo giorno, la mia angoscia cresceva. Mi sono trovata un lavoro, cercavo di restare il più possibile fuori casa, ma a un certo punto dovevo comunque tornare.

Lui ogni notte mi cercava. Veniva in camera mia e ci restava fino all'alba. E tu, che non ti accorgevi di nulla! Mi sembrava impossibile. Mi sentivo in gabbia. La mia gabbia dorata. Non resistevo più in quella situazione. Volevo, almeno, che scegliesse. Chi tra noi due, non aveva quasi importanza. Sarebbe stata comunque una liberazione.

Chi è la più colpevole, dunque? Chi ha rubato l'amore e chi è stata tradita? È difficile stabilirlo quando si comincia a intravvedere il grigio che si insinua tra il bianco e il nero. Perché anche nella colpa può esserci un riscatto. E la certezza di non poter agire diversamente.

So che non leggerai mai nemmeno questa lettera, ma contro ogni logica continuo a sperarlo.

Con tutto il mio amore,

tua Elsa

Il sole già basso sta colorando l'orizzonte di rosa: fra non molto tramonterà. Ma il tempo nell'appartamento di Sergio e Giovanna si è fermato. Nessuno guarda più fuori: gli occhi di tutti sono concentrati soltanto su di lei, questa donna segnata dall'età, dai tratti duri e quasi maschili, dall'espressione esausta eppure tenace. La sua storia chiede di essere ascoltata.

«La mia felicità durò poco» riprende a raccontare Adele. «Non solo faticavo a riconoscere in Elsa la mia amata sorellina, ma anche Vittorio ben presto manifestò un umore ancora più scostante del solito. Un momento era felicissimo, un altro cupo e tormentato. In quei giorni c'erano alcuni lavori in corso per l'ampliamento del balcone, ma a parte il viavai degli operai e la domestica, per la maggior parte del tempo in casa c'eravamo solo Elsa e io. Eppure, percepivo una tensione costante. Pensai che forse mia sorella fosse a disagio per un'ospitalità che non avrebbe potuto ricambiare. Oppure era preoccupata perché, nonostante le sue buone intenzioni e l'interessamento di Vittorio, non era ancora riuscita a trovare un lavoro.

Quanto a mio marito, forse si era pentito della propria generosità e adesso non vedeva l'ora che la cognata si levasse di torno. Ma se affrontavo l'argomento, lui si irritava.

Mi ero anche offerta di parlare a mio padre perché aiutasse Elsa economicamente pagandole l'affitto di un piccolo appartamento, ma Vittorio si era inviperito, come se lo avessi insultato.

In quel periodo cominciò a offendermi per il mio aspetto fisico. Mi diceva che ero pelle e ossa. Che ero attraente come una scopa. Che le mie gambe erano magre come rami secchi. Una sera mi urlò che aveva scelto la sorella sbagliata. Elsa sì che era una femmina. Lei avrebbe saputo far felice un uomo come io nemmeno potevo immaginare. Scoppiai a piangere disperata e lui si placò subito, come se avesse ottenuto proprio quello che voleva. Mi prese tra le braccia e mi ripeté per l'ennesima volta quanto mi amasse. Era colpa del suo lavoro e di tutte le brutture, i tradimenti e le menzogne che era costretto ad ascoltare, se a volte gli sembrava di uscire di testa e diventava cattivo, mi disse tra i baci. Facemmo l'amore con la consueta passione, ma io non mi ero mai sentita tanto umiliata in vita mia. E poi, come si era permesso di mancare così di rispetto a mia sorella?

Avrei voluto sfogarmi con lei, la mia più grande amica e confidente, ma qualcosa mi tratteneva. Vergogna. Pudore. Sesto senso, aggiungerei oggi.»

Adele tace. I suoi occhi si sono induriti. Il passato è tornato a chiederle conto delle sue ferite, ma in quello sguardo c'è tutta la determinazione di chi non dimentica né perdona.

«La verità era davanti ai miei occhi, ma io cercavo con tutte le mie forze di non vederla. Prima o poi, però, sarebbe stato impossibile non sbatterci contro la faccia. C'erano troppi segnali che ogni volta mi sforzavo di neutralizzare immaginando spiegazioni ingenue quanto artefatte e fantasiose. La nostra casa, che un tempo sentivo vibrare d'amore – o era stata solo un'illusione? –, ora risonava di stridule note stonate. Nei rari momenti in cui mi concedevo sprazzi di dolorosa lucidità, mi sembrava di sentire gli specchi incrinarsi e i vetri andare in mille pezzi.

Passavano i giorni e le cose invece di migliorare peggiorarono. Elsa mi evitava apertamente. Poi ci annunciò di aver
trovato lavoro come segretaria in una piccola casa editrice.
Usciva la mattina presto e tornava la sera tardi. Un giorno
dalla finestra la vidi in compagnia di un ragazzo biondo:
l'aveva accompagnata fin sotto casa. In quel momento, da
dietro l'angolo spuntò anche Vittorio. Non appena la scorse, le si avvicinò. Mi parve minaccioso. Ero troppo lontana per sentire cosa le disse, ma la vidi cambiare espressione. Salutò sbrigativamente il suo accompagnatore e seguì
Vittorio nell'androne a capo chino. Lui era furibondo. Pensai si stesse comportando come un marito tradito, ma subito scacciai quel pensiero come si fa con una mosca particolarmente molesta.

Da qualche tempo avevo iniziato a soffrire d'insonnia. Il
medico mi aveva prescritto un sedativo. All'ora di coricarsi
mio marito aveva preso l'abitudine di prepararmi lui stesso una tisana cui poi aggiungevo il medicinale.

"Per le tue gocce" diceva, posando la tazza sul comodino e stampandomi un bacio sulla fronte.

Quel gesto sollecito mi rammentava i suoi slanci roman-
tici dei primi tempi, e io mi ci aggrappavo con ogni forza.
Non tutto era perduto. C'era ancora fuoco sotto la cenere,
mi dicevo. Nonostante le sue stranezze e cattiverie mi ama,
mi ripetevo rinfrancata, prima di perdere i sensi sul cuscino. Una sera ebbi un problema di stomaco e vomitai ciò
che avevo mangiato, incluso il farmaco appena preso, ma
Vittorio non se ne accorse. Quella notte lo sentii alzarsi dal
letto con fare furtivo. Passò quasi un'ora prima che mi de-
cidessi ad andarlo a cercare. Nel corridoio udii un rumore
soffocato. Lo riconobbi subito, sebbene mi riuscisse quasi
impossibile ammetterlo. Qualcuno stava facendo l'amore.
Arrivai fin davanti alla porta chiusa della stanza di Elsa,
ma non osai aprirla. Tanto, ormai sapevo. Trascorsi il resto
della notte insonne.

Vittorio tornò verso le cinque di mattina e si addormentò accanto a me, come niente fosse. Un paio d'ore dopo la sveglia squillò e lui, come a volte accadeva, svegliandosi mi cercò. Oggi sono abbastanza vecchia per poter ammettere senza alcuna vergogna che mi bastò sentire il suo desiderio per archiviare quanto avevo scoperto come un improbabile sospetto. Facemmo l'amore come i due amanti insaziabili che mi sforzavo di credere fossimo.

Naturalmente una parte di me sapeva che non avrebbe potuto durare ancora a lungo. Prima o poi, avrei dovuto guardare in faccia la realtà. Già, ma qual era la realtà?

Trascorsi i giorni seguenti osservando entrambi di nascosto. Vittorio si comportava ostentando la falsa allegria dei momenti buoni. L'estate gli aveva lasciato addosso una lieve abbronzatura. Lo guardavo rasarsi la mattina, lisciarsi i ricci corvini all'indietro con il pettine. Quando indossava la camicia bianca stirata di fresco, con il colletto inamidato, lo aiutavo ad abbottonarla. Gli infilavo i gemelli nei polsini, gli annodavo la cravatta. Lui mi lasciava fare. Si concedeva alla mia devozione. La mia testa gli arrivava appena al mento. Sentivo il suo respiro che sapeva di dentifricio e tabacco accarezzarmi la fronte, e io mi ci tuffavo a occhi chiusi cercando di assorbirlo in ogni mia cellula. Quando avevo finito, mi alzavo in punta di piedi e gli davo un casto bacio su una guancia. Non era mai stato così bello. E aveva sposato me. Cosa potevo desiderare di più? Se c'era una gara, avevo già vinto, pensavo. Ma subito dopo mi sentivo colpevole e meschina.

Ora che aveva un impiego, Elsa, invece di essere contenta, se ne lamentava. Accusava stanchezza e quando era a casa stava quasi sempre chiusa nella sua stanza. Una volta la colsi in corridoio mentre tirava su con il naso e si asciugava gli occhi furtivamente. Provai una sottile felicità. Forse avevano litigato, sperai. Forse mio marito le aveva detto che avrebbe sempre e comunque amato di più me. Forse l'aveva lasciata. Forse... Ecco a cosa mi ero ridotta: gioivo della sua tristezza. Anzi, me ne nutrivo. Poi, un mattino qualsiasi accadeva che la vedessi tutta sorridente e di buon umore, ed ecco che ripiombavo nella disperazione. Forse Vittorio aveva scelto lei. Forse lui stava per lasciarmi. Forse. L'incertezza mi stava consumando.

C'era una sola cosa che avrei potuto fare per salvarmi la vita, ma era anche l'unica che avrebbe potuto uccidermi. Affrontarlo. Chiedergli una spiegazione. Pretendere una decisione. Ma questo avrebbe comportato conseguenze irreparabili a me sconosciute e alle quali ero impreparata. Chi mi assicurava che avrebbe scelto me? Allora mi ammutolivo, paralizzata dalla paura. Preferivo continuare così, a morire lentamente, appesa a un filo ma viva.»

Un tonfo secco zittisce Adele. Tutti l'hanno sentito e sono trasaliti. Si voltano a fissare Leonardo, maldestro come suo solito: ha fatto inavvertitamente cadere un soprammobile da uno scaffale della libreria. Per fortuna non si è rotto.

«Scusate!» esclama Leonardo per niente imbarazzato, mentre lo raccoglie per rimetterlo a posto.

Giulio e Annamaria ridacchiano. Perfino la signora Conforti pare divertita. È come quando, una volta, al cinema si accendevano le luci per l'intervallo. Per qualche minuto la storia d'amore s'interrompeva, il mistero era sospeso, l'ennesimo equivoco attendeva la sua spiegazione, mentre gli spettatori si sgranchivano le gambe, fumavano una sigaretta, andavano in bagno, acquistavano un gelato. Poi calava di nuovo il buio e la magia li ricatturava, più forte di qualsiasi bisogno fisiologico. Perché i cinema hanno smesso di fare l'intervallo? si domanda Elena oziosamente, borbottando tra sé.

«Hai detto qualcosa?» le chiede Giulio.

«Ma no, niente, parlavo da sola.» Non è certo questo il momento di rubare la scena per spiegare le proprie elucubrazioni mentali. Da affabulatrice nata, Elena sa quando è il caso di parlare e quando, invece, è meglio tacere. Ora che si sono sgranchiti metaforicamente le gambe, vuole che quella donna riprenda il suo racconto da dove era stato interrotto. Vuole che le luci si spengano e torni il buio in sala.

«Fosse stato per me, avrei finto per sempre di ignorare la verità e cioè che mia sorella e mio marito avevano una relazione. E che, probabilmente, stavano insieme quasi ogni notte. Proprio lì, a casa nostra, a pochi passi da dove giacevo io, sola e sedata, dall'altro lato del corridoio. Avrei continuato la mia vita di bella addormentata come e più di prima, sebbene la realtà fosse ormai davanti ai miei occhi. Non avevo, però, fatto i conti con Vittorio. Lui era come un bambino che per divertirsi ha bisogno di cambiare di continuo gioco. Doveva essersene stancato, così voleva portarlo a un livello superiore. Oppure amava entrambe, ma non sapeva voler bene senza fare soffrire. E, soprattutto, godeva della nostra competizione. Provava piacere nel metterci l'una contro l'altra.

Lo so, qualcuno di voi penserà che fosse un uomo disturbato, diabolico e malvagio, ma non l'avete conosciuto. Non potete sapere quanto fosse affascinante, dolce e geniale. Come la sola sua presenza potesse rendere ogni cosa luminosa. La sua mente era contorta, questo sì. Troppo contorta per me, che mi ero fidata di lui ciecamente. Che mi bastava respirare la sua stessa aria per sentirmi viva. L'idea di perderlo mi toglieva il fiato. Passavo dal terrore di essere lasciata alla certezza che lui, in fondo, non avesse alcun motivo per rinunciare a una situazione nella quale poteva avere tutto. Quale uomo può godere della moglie e dell'amante senza apparenti conflitti? Camminavamo su uno strato sottile di ghiaccio che era sul punto di spezzarsi.

Bastava un nulla.

E un nulla accadde.»

Adele Conforti ammutolisce. Chiude gli occhi come per

riguardare per l'ennesima volta una scena, sempre la stessa, che da anni continuava a ripetersi, proiettata nel buio della sua mente.

«Era una domenica mattina. Giugno stava finendo, ma era già caldo e il sole entrava dalla portafinestra spalancata sul balcone. Elsa dormiva o, almeno, così avevo creduto. Vittorio era in cucina. Si era preparato un caffè e lo stava versando in una tazzina. Indossava una camicia azzurra. Si era arrotolato le maniche e l'abbronzatura sulle braccia metteva in rilievo i muscoli. Mi vide arrivare ancora in camicia da notte, il viso assonnato, i capelli sciolti sulle spalle. La mia aria innocente e priva di malizia dovette risultargli insopportabile.

Mi sorrise velenosamente e mi disse: "Eccola, la mia bambina. Ingenua come una educanda. Ma a me non la dai a bere, cara. Proprio per niente".

"Cosa vuoi dire?" chiesi mio malgrado.

"Cosa voglio dire? Che con me puoi smettere di fare la commedia. So benissimo che lo sai."

"Non capisco" risposi con un filo di voce.

"Ah, non capisci? Oppure non vuoi capire?"

In piedi sulla soglia della portafinestra Vittorio mi fissava con ferocia dando le spalle alla luce del mattino. Pareva un leone pronto a scattare sulla preda. I ricci gli incorniciavano il volto come una criniera.

"Sai benissimo che vado a letto con tua sorella, eppure non dici nulla perché ti sta bene. Me l'hai mandata tu, ci scommetto. Hai pensato che in due mi avreste avuto in vostro potere. È così o no? Eh? È così o no?" Aveva alzato la voce e ora si era messo a urlare.

Io non riuscivo a parlare. Avevo la gola secca. Erano giorni che mi svegliavo con l'angoscia di ritrovarmi sola, di scoprire che Vittorio se n'era andato via con Elsa abbandonandomi per sempre, e ora mi accusava addirittura di aver ordito un piano alle sue spalle usando mia sorella! Ero annichilita.

Un rumore di passi annunciò che Elsa ci aveva raggiunti in cucina.

"Ecco anche la dolcissima sorellina. Se pensate che il vostro gioco possa durare ancora per molto, vi sbagliate di grosso. In ogni caso, spetta a me scegliere. Ricordatevelo! Non mi farò trattare come un burattino! L'amore di un uomo è sacro!"

In quel momento diversi pensieri mi attraversarono la mente, eppure tutto si svolse rapidamente. Così, proprio mentre mi chiedevo quale fosse il vero scopo di quell'ambigua confessione, avvertii con chiarezza che nulla sarebbe stato come prima. Rotti gli argini della paura, mille domande mi si affacciavano alla mente. Vittorio era pentito di avermi tradita o mi avrebbe lasciata? Ed Elsa, come aveva potuto farmi questo? Come avevano potuto le persone che amavo di più al mondo trattarmi in quel modo? Ero lacerata dal doppio tradimento. Non volevo perdere Vittorio, nonostante quello che aveva osato farmi lo amavo ancora con tutta me stessa. Ma era impensabile vivere ancora con lui come se niente fosse, ammesso poi che mi volesse. Ed Elsa? Le avevo voluto così bene, ma adesso? Vittorio me l'aveva portata via e lei mi aveva spezzato il cuore. Poi la disperazione mi rese stranamente lucida. E furiosa.

Lo guardai dritto negli occhi e con voce bassa ma tagliente, quasi sfidandolo, gli dissi che poteva anche insultare me, ma mia sorella non doveva permettersi neppure di nominarla. Sentii Elsa, che mi era accanto, trattenere il respiro. Mi girai verso di lei e ci guardammo per un istante che parve lungo un secolo. Non ci dicemmo niente, ma fu come se ci fossimo parlate. In quel momento seppi che il sentimento profondo che ci legava era rimasto intatto ed era più forte dell'amore malato che entrambe provavamo per Vittorio.

"E allora?" gridò mio marito per richiamare la nostra attenzione.

Ci voltammo entrambe verso di lui.

"Fate comunella, adesso?" riprese con tono di scherno. "Volete che vi faccia godere insieme? Io non mi tiro certo indietro, sapete?" Intanto aveva tolto dalla tasca un pacchetto di sigarette e lentamente se ne accendeva una, con gesto elegante e teatrale.

"È questo che volete? Siete due stupide puttanelle... Avanti, fatemi vedere quello che siete capaci di fare!"

Ma non riuscì a finire la sua orribile frase offensiva perché, mentre si portava la sigaretta alle labbra, fece un passo indietro verso il bordo del balcone dove gli operai non avevano ancora fissato il parapetto. Perse l'equilibrio e cadde.

Nessuno sarebbe riuscito a sopravvivere a un volo di otto metri. Nemmeno lui.»

Istanbul, 22 aprile 1978

Cara Adele,

l'ultima volta ti ho scritto parole difficili lo so, difficili da leggere ma, credimi, più difficili ancora da concepire. Perciò oggi desidero solo raccontarti quanto io sia felice. Nel mio piccolo regno dove trionfano i piaceri della carne, e sguardi voluttuosi si inseguono tra i vapori, pare che io abbia trovato una nuova pace interiore. Una serenità che non credevo avrei mai sperimentato, avvezza come sono ai bruschi cambi d'umore del mio carattere impetuoso e irrequieto.

Non è incredibile?

Anche i miei amici sono stupiti. Dicono che l'hamam mi ha ammorbidita nel fisico e nell'anima. La sua rilassatezza mi ha davvero reso più dolce e accomodante. Fino a un certo punto, però.

Ieri, per esempio, ho dato il benservito a un amante che non si decideva a crescere. Non ho nulla contro gli eterni ragazzi, ma a quarant'anni dovresti capire che, se sei l'unico erede di una dinastia di industriali, sarebbe ora di impegnarti sul serio e non lasciare che il tuo anziano padre faccia il bello e il cattivo tempo. Forse una volta non ci avrei badato, ma adesso che nel mio piccolo sono diventata un'imprenditrice, mi sorprendo a pretendere più risolutezza e senso di responsabilità dagli altri. Solo ai poeti e agli artisti concedo il lusso del disimpegno. Loro, sensibili come sono, vivono già un'esistenza abbastanza tormentata: gli si perdona tutto.

Creare può fare molto male, ti scortica l'anima. Ma la bellezza di una poesia che celebra i sentimenti o di un dipinto che ritrae l'estasi di un desiderio, ripaga di ogni sofferenza: nulla è paragonabile a un'opera d'arte e alla gioia che ti dà quando la ricevi in dono.

Ne scrivo a ragion veduta: ho la fortuna di conoscere molti artisti, alcuni di loro sono miei intimi amici, altri lo sono stati. Di ciascuno conservo un tesoro. Una poesia con dedica, un ritratto, una scultura.

La scorsa settimana all'hamam si è presentato un giovane che vive da diversi anni a Roma. Mi ha raccontato che studia da regista. È nato e cresciuto a Istanbul, ma non era mai stato in un bagno turco in vita sua. Ne abbiamo riso insieme.

«Come mai, allora, sei qui? Cosa ti ha condotto proprio da me?» gli ho chiesto dandogli del tu, come faccio con tutti i miei ospiti, indiscriminatamente.

«Le sembrerà assurdo, ma è stato un amico italiano a parlarmene. È venuto da lei qualche mese fa, portato da certi suoi conoscenti. Secondo loro questo è l'hamam migliore di Istanbul. Le voci corrono...» mi ha risposto con garbo. Poi, però, ha aggiunto, come per giustificarsi: «Sono qui solo per curiosità».

L'ho subito preso in simpatia. Il suo sguardo era aperto e sincero, mentre osservava il vestibolo, sebbene spesso si voltasse a controllare l'ingresso secondario da cui era entrato, quello che dà sul vicolo nascosto, come per accertarsi di avere una via di fuga. Si capiva che era di buona famiglia e aveva ricevuto un'ottima educazione: forse era proprio questo a frenarlo. L'istruzione, talvolta, crea armature da cui è difficile liberarsi. Ormai ho l'occhio clinico, mi basta guardare un uomo in faccia per intuire quali pensieri gli stiano passando per la mente. Così, ancor prima che mi salutasse dileguandosi velocemente nel vicolo, già sapevo che non sarebbe rimasto. Ma solo per questa volta.

«Non ti dico addio perché tanto sono sicura che ci rivedremo!» gli ho gridato dietro in modo provocatorio. «Anzi, scommetto il tuo ingresso: se ti ripresenti, non ti farò pagare!»

Due giorni dopo è tornato.

Siamo diventati amici, io e Orhan, il ragazzo che studia in Italia. Adesso viene ogni giorno. Lui mi parla di Roma, dove tornerà tra una settimana, e io dell'hamam, dei clienti, dei miei amici. Le mie storie lo divertono e io non mi tiro certo indietro dal raccontarle quando mi trovo in compagnia di chi sa ascoltare.

Arriva il pomeriggio sul tardi, fa il suo bagno di vapore e il massaggio, quindi mi raggiunge qui nel vestibolo, il «mio ufficio», si siede su uno degli sgabelli di legno intarsiati che tengo a disposizione dei clienti e mi chiede della mia vita, mentre gli verso un bicchiere di tè. Immagino mi trovi bizzarra: del resto, una donna che gestisce un hamam non si è mai vista in tutta Istanbul. E probabilmente nemmeno altrove. Magari un giorno Orhan diventerà un regista famoso e io un personaggio di un suo film! Per il momento chiacchieriamo piacevolmente finché lui non se ne deve andare a uno dei suoi tanti appuntamenti, a raggiungere gli amici o la madre che vive in una bella villa bianca nel quartiere di Kalamış.

Ultimamente, però, avevo notato che di tanto in tanto la sua espressione si faceva tesa, come se Orhan fosse tormentato da chissà quale preoccupazione. Non capivo di cosa potesse trattarsi, finché ieri si è confidato. Mi ha rivelato che la prima volta qui da noi, mentre dal soğukluk, la grande sala che serve ad acclimatarsi, si spostava nell'hararet, il vero centro dell'hamam avvolto da densi vapori, gli è apparso un ragazzo bellissimo, quasi una visione celestiale. Il corpo statuario appena coperto dall'asciugamano, il volto dai tratti decisi ma armoniosi, gli occhi dorati e i capelli umidi che gli sgocciolavano sulle spalle e il torace. Si erano scambiati degli sguardi, prima timidi, poi sempre più sfacciati. Lo sconosciuto lo aveva preso per mano, spinto dolcemente in una nicchia dietro a una colonna, e lì si erano abbracciati e baciati, immersi in una nebbia sottile ma bruciante che sembrava sciogliere i loro corpi facendone una cosa sola. Se chiudeva gli occhi, Orhan poteva ancora sentire il sapore della sua bocca, la morbidezza della sua lingua, la forza delle sue dita mentre gli accarezzavano la schiena.

Poi, quando entrambi erano arrivati quasi al culmine dell'eccitazione, il misterioso ragazzo senza preavviso aveva sciolto l'abbraccio.

Orhan mi ha confessato che raramente si era sentito così in intimità con qualcuno, sebbene non si fossero quasi rivolti la parola.

Mentre si asciugavano frizionando con energia la pelle, lo sconosciuto gli aveva sorriso, quasi per scusarsi di aver interrotto il loro incontro di prima sul più bello. Il fatto è che lì, in un locale pubblico, non si sentiva del tutto a suo agio, gli aveva confessato. Così gli aveva proposto di andare a casa sua, dove sarebbero stati più tranquilli: non abitava distante. E si erano dati appuntamento di lì a poco fuori dall'hamam.

A questo punto del racconto Orhan si è zittito. Gli occhi gli si sono incupiti e ha assunto un'espressione infelice e sconcertata allo stesso tempo.

«E allora? Cosa è successo dopo? Sei andato a casa sua?» gli ho chiesto con impazienza.

Ma Orhan, una volta uscito dall'hamam, non l'aveva più visto. Lo aveva atteso a lungo inutilmente davanti all'ingresso, però lui non era mai arrivato. Quel ragazzo, di cui non conosceva nemmeno il nome, era scomparso.

Da allora, era ritornato ogni giorno con la speranza di reincontrarlo, ma finora non aveva avuto fortuna. Come mai non si era più fatto trovare? Cosa era successo? Avrebbe tanto voluto chiedergli almeno perché.

Non immagini la confusione che si è dipinta sul suo viso quando gli ho detto: «Posso rispondere io a questa domanda...».

Temo, però, che la mia spiegazione non abbia fatto altro che acuire la sua frustrazione e il suo rammarico. Cosa era accaduto, dunque? Semplice, lo aveva atteso nel posto sbagliato!

In effetti avevo notato che Orhan usava sempre l'ingresso secondario dell'hamam, ma solo ora capivo che lo faceva perché ignorava l'esistenza di quello principale, forse anche perché dal vestibolo non lo si vede, nascosto com'è da un tramezzo di legno. Quel giorno aveva aspettato nel vicolo invano, mentre il suo bello sconosciuto lo attendeva davanti all'entrata che dà sulla piazzetta!

Per consolarlo, allora, mi sono offerta di aiutarlo a individuare il suo misterioso amico, ma stranamente la descrizione non mi ha suggerito nessuno dei miei abituali clienti. Che fosse davvero un'apparizione celestiale?

Comunque, tra pochi giorni Orhan sarà di ritorno a Roma: un ragazzo prestante come lui non farà fatica a dimenticare un incontro che, alla fine dei conti, non c'è mai stato.

Questo episodio mi ha fatto riflettere sulle occasioni perdute. Chissà quante ne collezioniamo nel corso di una vita, senza potercene mai rendere conto...

E noi, Adele cara, avremo mai un'altra occasione?

Io lo spero.

Tua Elsa

«Le va di assaggiare una fetta di torta? Avevamo preparato una crostata per il pranzo, vado a prendergliela» propone Giovanna sollecita. Dopo quanto ha ascoltato, sente il bisogno di tornare alla normalità. La normalità di un dolce fatto in casa. E poi, Adele non ha toccato un solo biscotto e tutto quel cognac a stomaco vuoto la preoccupa. Lei stessa si sente un po' strana.

La signora Conforti, però, non reagisce. Ha un'espressione vacua: il suo viaggio a ritroso nel tempo l'ha visibilmente prostrata. In realtà, da quel viaggio non è ancora tornata. È rimasta laggiù, alla fine degli anni Sessanta, affacciata al balcone. In precario equilibrio contempla il baratro che ha appena inghiottito il suo unico grande amore, l'uomo che non ha mai smesso di amare e odiare. Sta vagando tra le rovine della sua giovinezza, in una zona accidentata da cui si è tenuta scrupolosamente alla larga per chissà quanto tempo. Osserva dall'alto di una distanza siderale il suo primo matrimonio, precipitato dall'estasi all'orrore. E come allora, rimane senza parole.

«Altro che crostata, secondo me avremmo tutti bisogno di qualcosa di ancora più forte, un bicchiere di whisky magari» mormora Leonardo a bassa voce, ma in modo che Giovanna lo senta.

«È quasi l'ora di cena... Piuttosto, potresti mettere su l'acqua per una pasta, ti aiuto io volentieri» si offre Giulio in tono pratico.

Tutti sembrano mossi dal bisogno impellente di attenuare l'angoscia che li ha invasi. Le ultime parole della signora Conforti li hanno raggelati. E come potrebbe essere altrimenti, avendo scoperto che a pochi metri dalla stanza dove è appena mancata Elsa, cinquant'anni prima pure il suo amante, un uomo nel fiore dell'età, aveva perso la vita per un tragico incidente? La scia di morti avvenute in quell'appartamento sta diventando decisamente preoccupante. Così come sono preoccupanti il respiro fievole, gli occhi velati e la postura rigida della sua antica proprietaria.

«Signora Conforti? Signora Conforti?! Tutto bene?» la chiama Sergio, allarmato.

«Ma che ora si è fatta?» chiede la donna riprendendosi.

«Sono le sette e un quarto» risponde Giulio dopo aver controllato l'enorme display digitale che porta al polso, con cui, più che il tempo, di solito monitora maniacalmente il battito cardiaco. L'avere sposato un medico non è sufficiente a tacitare la sua ipocondria.

«Accidenti, si è fatto tardi. Devo proprio andare.»

Adele Conforti fa per alzarsi, ma pare combattuta, come se due forze contrapposte se la stessero contendendo: la volontà di fuggire e il desiderio di restare.

«Si fermi almeno per un caffè forte prima di rimettersi in auto» insiste Giovanna. Quello che davvero vuole, come tutti, è che la donna termini il suo racconto. Che spieghi com'è andata a finire. Che dica cosa l'ha portata a separarsi in modo così definitivo dalla sorella e a non perdonarla nemmeno dopo il tragico incidente che aveva posto fine a tutto.

«D'accordo, un caffè lo prendo volentieri. Senza zucchero, grazie. Lei è molto gentile» acconsente Adele. Si capisce che le ultime parole le ha aggiunte con la consapevolezza di attenuare un tono di comando che con l'età le viene naturale. Dopotutto non è stato difficile convincerla. Mentre va in cucina e riempie d'acqua la moka che si ostina a preferire alla macchina dell'espresso, Giovanna si sente quasi in colpa. A causa della sua curiosità, quella donna, non più giovane e visibilmente scossa per la perdita della sorella, si sarebbe ritrovata a percorrere da sola, in auto, strade poco illuminate.

«Vuoi che ti aiuti?» le chiede Sergio.

Giovanna è trasalita. Non l'ha sentito arrivare.

«Ma sì, grazie. Già che ci sei, prendimi il barattolo rosso del caffè dallo scaffale in alto, che non ci arrivo.»

«Volentieri, mia signora.»

Sergio allunga il braccio muscoloso per afferrare il barattolo e lei non può fare a meno di pensare all'uomo diabolico e affascinante che mezzo secolo prima abitava la sua casa somministrando amore e odio in parti uguali, segnando per sempre il destino di due sorelle. Anche lui si era aggirato in quella cucina. Poi, una mattina c'era entrato e non ne era più uscito vivo. Rabbrividisce. Una volta di più si ripete quanto sia fortunata. Lei ha Sergio, l'uomo più amabile e corretto del mondo. Chissà cosa le è passato per la testa prima, quando ne ha messo in dubbio la fedeltà.

Giovanna si ripete una volta di più quanto sia felice della propria vita. Eppure non varrebbe più nulla senza Sergio. Lui è l'aria stessa che respira, il senso di ogni cosa. Forse è per questo che ha così paura di perderlo. Per questo a volte, come è accaduto prima, le capita di dubitare di lui senza motivo, lasciandosi suggestionare dai fantasmi delle proprie angosce. Senza volerlo, lo sguardo va alla finestra e per la prima volta si sente a disagio a casa sua. È come se il passato volesse tornare. L'immagine confusa di Vittorio, che lei non ha mai visto né conosciuto, si sta sovrapponendo a quella di suo marito. Anche lui era avvocato, come Sergio! Questa coincidenza la inquieta come un cattivo presagio. È un'ombra nera che sembra avvertirla che il suo amore è in pericolo.

Sergio, ignaro, sorride. A cosa starà pensando? Giovanna ha voglia di abbracciarlo. Per proteggerlo, o forse per trattenerlo. Si sta già protendendo verso di lui, quando l'arrivo di qualcuno alle sue spalle la blocca. È Leonardo. Ma certo, è a lui che Sergio sta sorridendo. Giovanna si dà della sciocca: aveva creduto di leggere sul suo viso il piacere di condividere un momento da soli, lui e lei, ma la realtà è sempre più prosaica. La realtà è un amico che fa una smorfia buffa per farti ridere. E la cosa strana è che, nel constatarlo, si sente invasa da un'inspiegabile tristezza.

«Che fate? Di là è un mortorio. Mamma mia. Mi è venuta la pelle d'oca. Anzi, ce l'ho ancora, guarda!» Si sta rivolgendo a entrambi, anche se è a Sergio che mostra il braccio ricoperto da una morbida peluria.

«Ma quale pelle d'oca. Pelle di tricheco, casomai» lo prende in giro Sergio pizzicandogli una pressoché invisibile pancetta.

Per tutta risposta Leonardo apre il rubinetto e lo schizza d'acqua, come un ragazzino dispettoso. È il loro modo di reagire alla cupezza calata su quella strana, assurda domenica che sembra non finire mai. Che infantili, pensa Giovanna scuotendo la testa. Non si era mai resa conto di quanto fossero affiatati. Prova di nuovo quella strana fitta. La loro intesa la fa sentire un'intrusa.

«Be' che succede? È pronto questo caffè?» Elena è venuta a controllare. «Tra un po' sarà buio, non vorrete far viaggiare la poveretta da sola di notte, dopo una giornata come questa, spero.»

«Dici che dovremmo proporle di fermarsi a dormire?» chiede Giovanna.

«Dubito che accetterebbe» interviene Sergio.

L'allegria è scomparsa. Nessuno ha più voglia di scherzare.

Intanto anche gli altri li raggiungono in cucina. Adele Conforti da ultima. Come se qualcosa – o qualcuno – la guidasse, si dirige senza alcuna esitazione verso la sedia dove è morta la sorella e vi si lascia quasi cadere. Nessuno osa fiatare. Poi tutti riprendono il proprio posto a tavola, là dove tutto è cominciato.

«È quasi impossibile spiegare cosa significhi vedere morire una persona proprio davanti ai tuoi occhi» mormora Adele, guardando distrattamente la tazzina di caffè.

Intorno a lei sei paia di orecchie e di occhi non si perdono una sua sola parola, un gesto. Per un istante Giulio vorrebbe ricordarle che tutti loro sanno cosa vuol dire, che è proprio ciò che è appena successo in quella stanza. Ma fortunatamente si trattiene.

«Certo, in quel momento lo odiavo, anche se allo stesso tempo non potevo smettere di amarlo disperatamente. Ma assistere alla sua morte... fu spaventoso» riprende incerta la donna, parlando più che altro a se stessa.

«Che poi, cosa significa odiare una persona con tutte le tue forze? Non vuol dire nulla. Tanto lo sai che il tuo rancore è solo una diversa forma d'amore. Avvelenato dall'umiliazione, dal sospetto e dalla gelosia, ma non per questo meno vero. Non aspetti altro che un cenno per buttarti di nuovo ai suoi piedi, nella speranza che torni a stringerti tra le braccia, facendoti dimenticare ogni cosa. Il nostro litigio quel giorno avrebbe potuto essere anche solo una pantomima, una recita. Chissà quante altre volte si sarebbe replicato, e poi avremmo fatto pace. In seguito ho cercato di convincermene, anche se sapevo che le cose non sarebbero andate in quel modo. Qualcosa nel nostro insano equilibrio si era ormai rotto, ma nessuno di noi tre ha avuto la possibilità di scoprirne le dirette conseguenze. L'incidente cambiò di nuovo le carte in tavola.

Per anni quel momento si è ripetuto nella mia mente. Vittorio che si accende la sigaretta con noncuranza e intanto ci provoca con parole taglienti come bisturi. Io che scambio uno sguardo con mia sorella e poi mi volto verso di lui seguendo con gli occhi la sottile scia di fumo che sale dalle sue labbra verso il cielo terso del mattino. Avrei voluto anch'io volare via, disperdermi nell'aria: temevo ciò che stava per dirmi. Del resto, Vittorio sapeva dove colpire per fare più male. Ma la fatalità era in agguato. Il destino lo fece indietreggiare proprio in quell'istante, in quel punto. Il destino...»

«E non cercaste di fermarlo?» le chiede Giovanna.

«Ma lui non lo sapeva che il ballatoio non era stato ancora fissato?» interviene Annamaria.

«Certo che lo sapeva» risponde secca Adele. Il suo tono di voce, però, risulta stranamente poco convincente.

Per qualche secondo tutti ammutoliscono. Mentre si fissano negli occhi.

«Eccome se urlammo» riprende Adele. «Urlammo entrambe con tutto il fiato. Ma Vittorio, concentrato com'era nello sputare veleno su di noi, non ci badò. Perse l'equilibrio e precipitò. Ecco cosa successe. Eppure... Il mondo intero sembrò capovolgersi, ma poi si riassettò, come se si fosse rotto un incantesimo. Ciò che fino a poche ore prima pareva inconcepibile divenne una realtà molto più sopportabile e dolce di quanto avrei immaginato. Perché sì, Vittorio se n'era andato, ma allo stesso tempo, adesso, non mi avrebbe più lasciato.

Da quel giorno lui è sempre stato con me. La sua assenza è più vera di qualsiasi presenza. Ho continuato a vivere, mi sono risposata, ho avuto un figlio, ma dentro di me nulla è cambiato. Certo, negli anni sono riuscita a nasconderlo in un angolo della mente, però la vostra telefonata oggi me lo ha riportato più vivido che mai. Anche in questo istante Vittorio è di nuovo davanti a me, la sigaretta fra le dita, i ricci ribelli contro la luce di un mattino d'estate. Potrei quasi toccarlo.

Allora tutto accadde molto velocemente, eppure io lo rivedo sempre al rallentatore. Agitò un braccio in alto come un ballerino di flamenco, si avvitò su se stesso e cadde all'indietro, inghiottito dal vuoto, senza lanciare nemmeno un grido. Le sue ultime parole vibravano ancora nell'aria, ma Vittorio non c'era più. Solo la sottile striscia di fumo della sua sigaretta.

Le nostre urla di avvertimento erano arrivate troppo tardi. Fu una terribile disgrazia.

Fui io a scuotermi per prima. Mi sporsi coraggiosamente dal balcone appoggiandomi al muro esterno della casa. Se mi alzavo sulle punte dei piedi vedevo un angolo del cortile e le sue gambe a terra, piegate in modo innaturale. Il resto del corpo era nascosto. Rimasi per qualche secondo come ipnotizzata, aspettandomi che si muovessero. Che Vittorio si rialzasse e tornasse tra noi, si scuotesse via la polvere dalla camicia e riprendesse le sue provocazioni come se niente fosse accaduto. Ma, ovviamente, non successe nulla di simile.

Poi ebbi la prontezza di telefonare a mio padre. Fu lui a indicarmi cosa fare. Capì immediatamente che, pur trattandosi di un incidente, occorreva adottare qualche misura precauzionale per evitare spiacevoli sospetti e proteggere il buon nome della famiglia. Sarebbe stato opportuno, per esempio, che mentre avveniva la tragedia, nell'appartamento – a parte la vittima – non ci fosse stato nessun altro.

Mi chiese se qualche vicino ci avesse visto o sentito, e quando gli risposi che in quei giorni erano tutti via tranne un'anziana inquilina che abitava al primo piano, parve sollevato. Mi suggerì di uscire di casa al più presto e andare in chiesa, in un bar, in un luogo qualsiasi purché affollato. Al nostro ritorno avremmo "scoperto" il terribile incidente. Solo a quel punto avremmo dato l'allarme e chiamato la polizia. E così feci.

Temevo che Elsa desse in escandescenze, che si rifiutasse. Invece, mentre ero al telefono con papà era sprofondata in uno stato catatonico. Le riferii cosa ci suggeriva di fare nostro padre. Ci vestimmo in gran fretta, poi la presi per mano e lei mi seguì senza fiatare. Andammo in una chiesa, a un isolato da casa. La messa era cominciata da tempo. Ci sedemmo in fondo e quando la funzione terminò ci accodammo alla folla di fedeli che si accalcava verso l'uscita. Sul sagrato mi imbattei in una conoscente. In un'altra situazione l'avrei pressoché ignorata, ma pensai che potesse tornarci utile salutarla. Era la proprietaria di un negozio di casalinghi del quartiere, una donna vivace e verbosa. Scambiai con lei qualche parola di convenevoli, mentre Elsa rimase muta tutto il tempo. Ci accomiatammo e ci dirigemmo verso casa. Mentre camminavamo fianco a fianco, mi lasciai sfuggire che questo incontro per noi era stato una fortuna: all'occorrenza avrebbe confermato la nostra versione dei fatti. Elsa reagì rabbiosamente. Mi accusò di comportarmi come una colpevole in cerca di falsi alibi. Era sconvolta, non sapeva quello che diceva. Anch'io ovviamente lo ero, ma sono sempre stata più brava a mantenere il sangue freddo.

Una volta rincasate, chiamai un'ambulanza e la polizia, come mi aveva raccomandato di fare mio padre. Lui era già in viaggio e ci avrebbe raggiunto di lì a un'ora. Tutto andò come doveva andare. La polizia aprì un'indagine più che altro per stabilire le eventuali responsabilità dell'impresa che stava facendo i lavori sul balcone. Apparve anche qualche trafiletto sui giornali, dopotutto Vittorio lavorava in uno studio legale importante. Quella sera stessa Elsa fece le valigie e tornò a Viterbo con papà. Prima di andarsene tentò di parlarmi, voleva spiegarmi cosa era successo tra lei e Vittorio, ma non me la sentii di affrontarla. E poi, era fuori di sé: temevo che potesse dire parole di cui si sarebbe pentita. Avevamo vissuto un'esperienza scioccante, e lei era sempre stata molto impressionabile... Pensai che entrambe avessimo bisogno di tempo per elaborare la terribile esperienza che avevamo condiviso. Allora non sapevo che, di lì a poco, se ne sarebbe andata via per sempre, che non l'avrei più rivista. Quando l'ho scoperto, però, pur soffrendone, ho capito che, forse, era meglio così.

Nonostante mio padre l'indomani della tragedia avesse insistito nel voler convincere anche me a tornare a Viterbo, puntai i piedi e rimasi a Roma. So che è difficile da capire, ma restare in questa casa allora mi sembrò indispensabile. Per andare avanti e ricominciare a vivere dovevo restare in quell'appartamento dove Vittorio e io eravamo stati anche felici. Solo lì potevo continuare a respirare la stessa aria che aveva respirato lui, accarezzare le sue camicie, avvolgermi nelle sue lenzuola, pettinarmi con la sua spazzola. L'avrei avuto ancora tutto per me.

Nemmeno due mesi dopo, la magistratura archiviò il fatto come accidentale. Elsa sparì quel giorno stesso. Mio padre mi chiamò per chiedermi se fosse da me, ma io non l'avevo più vista né sentita dalla sera dell'incidente. L'amore per Vittorio ci aveva divise, ma la sua morte ci stava allontanando assai di più. Le volevo bene con tutta me stessa, era mia sorella, eppure un muro invalicabile si era innalzato tra noi.

La notizia della sua fuga, così la considerai, in un primo momento mi amareggiò. Mi sentii ancora una volta una stupida ingenua. Del resto, cosa potevo aspettarmi da Elsa? Dopotutto mi aveva pugnalata alle spalle cercando di portarmi via il marito. Se non fosse stato per lei, Vittorio e io non avremmo litigato con una tale violenza. E lui non sarebbe caduto. Capii una volta di più che quella disgrazia aveva gettato su di noi un'ombra dalla quale non ci saremmo più liberate. Era come un'ossessione: adesso che Vittorio era morto, saremmo state sue per sempre.

L'indomani contattai un'impresa perché abbattesse il balcone e murasse parzialmente la finestra. Non lo feci per Vittorio e ciò che gli era successo, ma per me. Ogni volta che guardavo oltre quei vetri provavo come una vertigine che mi attirava verso il precipizio.

Ecco com'è andata. Non seppi più nulla di mia sorella. La mamma morì, poi se ne andò anche nostro padre, e lei non si fece mai viva. Mai. Oggi l'avrei rivista per la prima volta dopo cinquant'anni, ma di nuovo un tragico evento ci ha separate.»

«Perché dice che Elsa non si è fatta mai viva? In questi anni le ha scritto un sacco di lettere!» obietta Giovanna.

«Già, perché non le ha mai aperte? Perché le ha rimandate indietro?» quasi la rimprovera Elena.

«Quali lettere?» chiede la signora Conforti.

«Le lettere di sua sorella da Istanbul! Queste!»

Sergio gliele indica: per tutto il tempo sono rimaste lì, in un angolo del tavolo. Un mucchietto di buste ancora intonse, tenute insieme da un vecchio nastro.

«Ah, quelle» commenta Adele. «Come se bastasse scrivere una lettera per sistemare le cose.»

La sua voce si è fatta improvvisamente dura come una pietra tombale. Dove sono finite la dolcezza e l'umanità con cui ha appena raccontato la storia del suo passato?

Chi è davvero quella donna?

Istanbul, 9 giugno 1979

Cara Adele,
domenica scorsa sono stata al sünnet del piccolo Mehmet, il
figlio minore di Madlen. Si tratta della cerimonia per la circon-
cisione, un rito dal profondo significato religioso, praticato dai
musulmani fin dall'antichità, con cui il bambino fa il suo ingresso ufficiale nella propria comunità. Can, il marito di Madlen, è
un uomo molto devoto e per celebrare questa ricorrenza non ha
badato a spese. È stata una bellissima festa, rallegrata da musica
e buon cibo. Abbiamo mangiato e ballato fino a tardi. Alla fine i
bambini erano esausti, e noi adulti pure.

Madlen e Can sono diventati cari amici. Anzi, insieme ai due
figli – oltre a Mehmet, che ha sei anni, hanno una ragazzina,
Füsun, che ne ha compiuti nove da poco – ormai rappresenta-
no per me una seconda famiglia. Potrò sempre contare su di loro,
anche quando diventerò un'eccentrica vecchia signora. Perché è
così che mi vedo fra trenta, quarant'anni: un'inarrestabile avventuriera che affronta il Grande Nemico, ovvero il tempo che passa
inesorabile, con il sorriso sulle labbra, sfoderando abiti colorati e
battute sconvenienti come armi affilate.

Ti confesso che mi piacerebbe molto che Madlen e Can in futuro venissero ad abitare da me. La casa è grande, c'è tanto di
quello spazio, e a me basterebbero un paio di stanze. Così io avrei
compagnia e loro risparmierebbero sull'affitto. Adesso no, mi sto

godendo troppo la mia indipendenza e, talvolta, perfino la solitudine. Non ho nessuna voglia di sentirmi in dovere di giustificare eventuali viavai di amici e amanti. Ma tra qualche anno...

Can è contabile in una ditta di import-export e Madlen potrebbe continuare a fare la sarta in casa. Al piano terreno c'è una stanza che non ho mai utilizzato: sarebbe l'ideale per allestire il suo laboratorio. Prima o poi, le accennerò questo mio progetto. Sono convinta che accetterà con entusiasmo. Sebbene sia molto più giovane di me, nei miei confronti nutre un sincero sentimento protettivo. Mi vuole bene, e io ne voglio a lei. È una donna forte, di carattere. Una persona rara.

La cerimonia per il sünnet si è svolta nella casa di un cugino, più spaziosa e confortevole del piccolo appartamento che occupano ora. Inizialmente, tra gli invitati serpeggiava una grande eccitazione mista a nervosismo: si tratta pur sempre di un'operazione cruenta nella quale è coinvolto un bambino, a cui viene rimosso con un taglio netto il prepuzio del pene. A noi occidentali può sembrare una pratica violenta, ma un amico anni fa mi ha spiegato che ha anche una funzione igienica e sanitaria. E poi, naturalmente, è un rito d'iniziazione che evoca lame scintillanti, sangue e dolore. Un sacrificio. Come quello, ben più grande, che si celebra per oltre una settimana durante il Kurban Bayramı (la Festa del Sacrificio, appunto), la maggiore ricorrenza religiosa islamica. In questa occasione vengono uccisi degli animali, capre o pecore soprattutto, per ricordare un evento citato dal Corano, quando Dio chiese ad Abramo di immolare il figlio Ismaele per lui. Il padre aveva già estratto il coltello e stava per sgozzare la creatura che amava sopra ogni altra cosa, ma Dio gli mandò un montone perché venisse ucciso al posto del bambino. È la festa dello scampato pericolo, ma anche della sottomissione. Cosa siamo disposti a sacrificare pur di non rinunciare alla considerazione che abbiamo di noi stessi? Al nostro amor proprio? Fin dove possiamo spingerci? Sono domande che, a volte, mi faccio. Tu no?

Quando il piccolo Mehmet, abbigliato come un principe, con una lunga veste finemente decorata, si è messo a urlare selvag-

149

giamente, subito consolato dagli invitati e portato in trionfo per la sala dagli zii, la tensione che prima induceva a trattenere il respiro si è dissolta: l'operazione era andata a buon fine e i festeggiamenti potevano iniziare.

Il suo grido di dolore mi ha riportato alla mente un'altra domenica di tanti anni fa. Anche allora c'era stato un sacrificio. Ma nessuno ha urlato. Siamo restate in silenzio, io e te.

Ripenso spesso a quella mattina. Avrei un'infinità di cose da dirti, ma alla fine tutte si riducono a una sola, la più importante: noi lo sapevamo e non abbiamo fatto niente per fermarlo.

Sapevamo che se Vittorio fosse arretrato, anche di un solo passo, sarebbe caduto.

Vedevamo il baratro dietro di lui, ma siamo rimaste zitte.

Ci siamo guardate per un lunghissimo istante e abbiamo deciso. Si trattava della sua morte o della nostra, così abbiamo scelto di salvarci.

Questo ti direi a voce.

Abbiamo visto un'opportunità e l'abbiamo colta. L'opportunità di sopravvivere.

Tu lo hai incalzato con le tue accuse, perché indietreggiasse ancora. E dalle nostre bocche non è uscito un suono di avvertimento.

Oggi tu puoi anche raccontare una tua versione dei fatti nella quale le nostre urla d'avvertimento risuonano inutilmente sul balcone, ma dentro di te sai qual è la verità. Io ho scelto la via più facile: qui dove vivo nessuno sa, nessuno chiede.

Ecco com'è andata. Sapevamo e l'abbiamo lasciato accadere.

Ha prevalso l'amore, dopotutto: l'amore che ci ha sempre legate. Ci ho messo molto tempo per capirlo, ma poi tutto è stato più chiaro. Non sei giunta anche tu a questa conclusione?

In questi anni non hai mai voluto farti viva con me, nemmeno per avvertirmi che prima la mamma, poi il papà erano morti, per avvisarmi dei loro funerali. Non so se me la sarei sentita di venire, ma tu non mi hai dato la possibilità di decidere. L'ho dovuto scoprire da altri, a cose avvenute.

Poco importa: la vita scorre come un respiro. E dentro ci lascia *la nostalgia per ciò che avremmo potuto fare e la consapevolezza di ciò che siamo diventate.*

Noi non smetteremo mai di essere sorelle, così in simbiosi da aver amato lo stesso uomo e da averlo ucciso. L'uomo che ci aveva allontanato e che presto ci avrebbe condotto alla follia. Che ci aveva offeso. Tradito. Ferito. Persino contagiato con la sua malvagità.

Noi abbiamo sfidato il destino, unite nell'amore, nel peccato, nel castigo.

Non so cos'altro ti sei raccontata in tutti questi anni. Se passando davanti a uno specchio abbassi gli occhi oppure ti guardi coraggiosamente in faccia riconoscendo le tue responsabilità.

A quelle legali ci pensò nostro padre, ricorrendo alle sue amicizie. Fu facile per lui sistemare le cose in modo da non coinvolgere la famiglia. Dopotutto, si era trattato di un malaugurato incidente, no? Non c'era nessuno in casa, a parte la vittima... È stata una mossa davvero astuta, devo ammetterlo, suggerirci di uscire immediatamente dall'appartamento e fingere il rientro a tragedia conclusa. Come se nessuno avesse mai litigato.

Quella menzogna mi diede il voltastomaco. Mi sembrò un inutile atto di ipocrisia. A te no, ti ci sei calata dentro come un'attrice consumata, una primadonna che si esibisce nel suo cavallo di battaglia. E alla fine devi esserti convinta che fosse andata proprio così.

Lì per lì ti ho odiata per questo, perché io non mi davo pace per quello che eravamo giunte a fare. A non fare. Eppure – lo sai – non ho mai smesso di volerti bene, nemmeno per un istante.

Vittorio è stato la nostra malattia, una patologia grave che ci ha devastate dentro. Che ci ha spinte a diventare ciò che mai avremmo voluto essere: due anime perse.

Dovevamo decidere se continuare a soffrire con lui o tornare a vivere, noi due.

Null'altro.

Ma non siamo guarite. Abbiamo continuato a consumarci, ciascuna prigioniera delle proprie colpe.

Bruciate dalla stessa passione, ci siamo lasciate come due amanti.

Non so davvero cosa potrei aggiungere a queste parole, tranne che credo che non ti scriverò mai più. Troverò un altro modo di conversare con i miei fantasmi, mentre mi godo la vita tra i vivi.
Addio,

tua sorella, ma anche la tua complice, la tua compagna

Giovanna spalanca la finestra. L'aria della sera, profumata di pitosforo, invade la stanza richiamando alla realtà. Ha bisogno di disperdere il suo turbamento. E non è l'unica. I sei amici sono profondamente turbati dalle parole di Adele, dal racconto della tragedia che si è consumata in quella casa.

Adele Conforti si alza. «È arrivato il momento di andare» annuncia con un tono che questa volta non ammette replica. Poi si volta verso Sergio: «Non si sta dimenticando di qualcosa, giovanotto?» lo apostrofa un po' ruvida.

Lui la guarda confuso.

«Le mie lettere.»

«Ma certo, mi scusi...»

Per un attimo aveva sperato in cuor suo che lei se ne sarebbe dimenticata. Dopotutto le aveva ignorate per anni. Le aveva addirittura rispedite indietro! Ma ora Elsa è morta ed evidentemente le cose sono cambiate. Ora Adele le vuole e a Sergio, pur riluttante, non resta che consegnargliele.

La donna accenna un mezzo sorriso: sembra leggergli nel pensiero. Trattiene per qualche istante le buste fra le mani, come a soppesarle, quindi le ripone nella borsa.

«Prima mi avete chiesto perché ho sempre rimandato indietro le lettere di Elsa senza nemmeno aprirle.» La sua voce è appena velata di malinconia. «La risposta è molto semplice: perché ero furiosa con lei. Se n'era andata quando io avrei avuto più bisogno del suo appoggio, lasciando che me la cavassi da sola. Aveva scelto la via più facile, quella della fuga, mentre io qui a Roma mi consumavo nel lutto, assediata dalla falsa compassione altrui e da un'inesauribile curiosità morbosa. Come era potuto succedere? Possibile che Vittorio non si fosse accorto del parapetto? E perché tu te n'eri andata via? Amici, parenti, conoscenti: sembravano tutti in cerca di dettagli scabrosi di cui parlare alle mie spalle, quasi non mi perdonassero di essere rimasta viva. Ci ho messo parecchio a costruirmi una corazza abbastanza resistente da proteggermi, da permettermi di rifarmi un'esistenza. E ogni volta che mi sentivo un po' più forte, arrivava una lettera di Elsa a ricordarmi che mi aveva abbandonata. Era come ricevere uno schiaffo in piena faccia. Mentre lei si godeva la vita a chilometri di distanza di sicurezza, a Istanbul o dovunque si fosse cacciata, io subivo le conseguenze di ciò che il suo tradimento aveva provocato. Come potevo perdonarla? Era solo una persona che portava guai. E le sue lettere ne avrebbero causati altri. Meglio non aprirle. Meglio starne alla larga. E sapete una cosa? Non ho cambiato idea. Se oggi non le reputo più pericolose è solo perché la vita stessa ha smesso di esserlo.»

Adele è in piedi in mezzo alla stanza, pronta ad andarsene.

«Aspetti, quasi mi dimenticavo! C'è anche questa» si scusa Giovanna, porgendole l'ultima lettera dall'indirizzo sbagliato che ha tolto da un cassetto. «Credo sia di sua sorella. Era arrivata pochi giorni fa, e non avevo ancora trovato il tempo di avvertirla...»

La donna la prende e la infila al sicuro nella borsa insieme alle altre, senza aggiungere parola. Guarda di nuovo pensosa, a uno a uno, Sergio e Giovanna, Annamaria e Leonardo, Elena e Giulio. Dai loro occhi traspare delusione. Dunque, non conosceranno il contenuto di quelle lettere. Cosa le aveva scritto Elsa da Istanbul. Non sapranno mai la sua versione della storia. Di quel tragico amore.

«Quante persone amano di nascosto, tramano, tradiscono. Io e mia sorella, no. Non più» osserva Adele con quel suo mezzo sorriso, quasi parlando tra sé e sé. La sua voce è tornata grave, quasi severa. «Noi siamo sempre state sincere. L'una con l'altra. Non abbiamo segreti, noi» aggiunge.

E intanto estrae dalla borsa uno strano oggetto dorato, una sottile bacchetta con una pinzetta a una delle due estremità, dove inserisce una sigaretta. Sul lato opposto l'asta termina ad anello, che lei indossa come un gioiello.

Accende la sigaretta, volta le spalle e se ne va.

Ringraziamenti

Il primo abbozzo della storia di Elsa e Adele risale a molto tempo fa. Molto prima di *Rosso Istanbul*. Poi avevo dimenticato quel progetto in un cassetto e solo per caso, due anni fa, chiacchierando con Nicoletta Lazzari, la mia editor, me ne sono ricordato. È stata Nicoletta con paziente determinazione a sollecitarmi a riprenderlo in mano e a svilupparlo; quindi, se ora vede la luce in una diversa versione, lo devo a lei. Dunque, grazie.

Grazie a Adelaide Barigozzi ancora una volta accanto a me durante la stesura del testo, prodiga di suggerimenti.

Grazie a Moira Mazzantini e Gianni Romoli, sempre al mio fianco.

Grazie a Mina, sottofondo musicale dei miei giorni e cara amica: i suoi consigli sono preziosi.

E a Sezen Aksu, la cui inconfondibile voce da oltre vent'anni caratterizza i miei film.

Per finire, grazie a Simone, che non ringrazio mai abbastanza, e al quale molto deve anche questo libro.

Mondadori Libri S.p.A.

Questo volume è stato stampato
presso ELCOGRAF S.p.A.
Stabilimento - Cles (TN)

Stampato in Italia - Printed in Italy